TASKFORCE URUZGAN, OP ZOEK NAAR HET RECHT

Gijs Scholtens

TASKFORCE URUZGAN, OP ZOEK NAAR HET RECHT

2007 Uitgeverij Aspekt

TASKFORCE URUZGAN, OP ZOEK NAAR HET RECHT
© Gijs Scholtens
© 2007 Uitgeverij ASPEKt
Amersfoortsestraat 27, 3769 AD Soesterberg, Nederland
info@uitgeverijaspekt.nl - http://www.uitgeverijaspekt.nl
Omslagontwerp: Uitgeverij Aspekt Graphics
Binnenwerk: Uitgeverij Aspekt Graphics
Druk: Krips b.v. Meppel
ISBN-10: 90-5911-621-6
ISBN-13: 978-90-5911-621-4

Inhoudsopgave

Voorwoord

Tijdens mijn uitzending naar Uruzgan van 6 februari tot en met 16 mei 2007, toegevoegd aan het Provinciaal Reconstructie Team (PRT) van de Taskforce Uruzgan als CIMIC (Civil Military Cooperation) reserve-major, functioneel specialist juridische zaken, verhaalde ik aan het "thuisfront" van mijn ervaringen iedere zondag door een weekbrief per email met daarbij een enkele foto.

Mijn PRT3 commandant luitenant-kolonel Gino van der Voet schreef in zijn wekelijkse weblog op www.brabantsdagblad.nl op 22 juni 2007: *"Op sommige momenten praat ik met collega's over alles wat ons hier overkomt deze week. Vaak hoor ik de zin: "Hoe kun je nu uitleggen hoe het is om hier te zijn aan mensen die hier niet zijn geweest?" Ik kan iedere gebeurtenis beschrijven en het uitleggen hoe het werkt. Ik kan uitleggen waar de verschillende acties voor zijn. Ik kan uitleggen hoe de gebeurtenissen in elkaar grijpen. Maar uitleggen hoe het voelt om hier te zijn en alles over je heen te laten komen? Ik zou niet weten waar ik zou moeten beginnen."*

Wanneer je zelf weer terug bent realiseer je je eens te meer hoe moeilijk het allemaal over te brengen is vanuit de beleving in een gedurende decennia door oorlog en strijd verwoest land als Afghanistan op de omgeving in Nederland, waar het grootste deel van de bevolking is opgegroeid in een periode van vrede, veiligheid en welvaart. Vanuit Uruzgan heb ik met mijn weekbrieven geprobeerd wat meer inzicht te geven in het hoe en waarom van onze missie daar, maar nu aangevuld met een grote hoeveelheid van mijn foto's, hoop ik, letterlijk, het nog beeldender te kunnen overbrengen.

Twee beperkingen moet de lezer en kijker van dit (foto)boek zich bewust zijn. In de eerste plaats gaat het alleen over mijn missie (weliswaar voorafgegaan door een algemeen hoofdstuk over Afghanistan's geschiedenis en de reden voor onze missie daar), waarvan het doel was een bijdrage te leveren aan het herstel van "the rule of law" (het rechtssysteem) in de provincie Uruzgan. Hoe belangrijk ook als onderdeel van onze counter-insurgency missie –immers zonder het herstel van de rechtstaat is het doel van onze missie ,veiligheid en stabiliteit, onbereikbaar – het blijft slechts een onderdeel van een grote en gecompliceerde missie.

De tweede beperking is dat, vanzelfsprekend, mijn weekbrieven en de overige inhoud van dit boek, geen operationele, laat staan geheime informatie, bevatten. Ik heb mij dus bewust in mijn weekbrieven de vanuit veiligheidsoogpunt noodzakelijke zelfcensuur opgelegd. In mijn weekbrief van 6 mei 2007 schrijf ik bijvoorbeeld: "Voor Koninginnedag stonden op de basis diverse evenementen op het programma … Het ging allemaal niet door omdat (te) veel eenheden "buiten" waren, zodat alle festiviteiten werden afgelast." Op dat moment was, maar dat kon ik natuurlijk niet schrijven, de slag om Chora al begonnen en ongetwijfeld heeft de commandant TFU het niet verstandig gevonden onder die omstandigheden uitgebreid te gaan feestvieren op de basis. Ook het vermelden van namen van personen, zowel in de tekst als bij de foto's, en aantallen heb ik zoveel mogelijk vermeden.

Het boek draag ik op aan al onze mannen en vrouwen in Uruzgan, die dienen en gediend hebben in Uruzgan en die iedere dag weer de poort uitrijden om onder moeilijke en gevaarlijke omstandigheden een bijdrage te leveren aan het herstel van de veiligheid en stabiliteit in Uruzgan. Zij doen hun werk niet alleen in het belang van de Afghanen, maar ook in het belang van de strijd tegen het internationale terrorisme en daarmee is ook ons belang gegeven. Ik heb voor hun professionaliteit, inzet, opgewektheid en moed, zoals ik die heb mogen meemaken, groot ontzag.

Voor het in mijn weekbrieven mogelijk hier en daar zondigen tegen de Nederlandse taal en interpunctie vraag ik de lezer begrip. De weekbrieven zijn onder niet altijd even gemakkelijke omstandigheden in het uitzendgebied opgesteld en verzonden en ter wille van de authenticiteit heb ik er voor gekozen deze in de oorspronkelijke vorm, zonder correcties, te publiceren.

Tenslotte voor diegenen die zich afvragen wat 8<{) of later 8<{)) onder mijn weekbrieven in hemelsnaam betekent: het is geen geheime code maar mijn electronische handtekening; draai een kwartslag en het is een brildrager met snor en eerst korte en vervolgens langere baard.

Wanneer dit boek verschijnt ben ik al weer terug naar Afghanistan om de rule of law missie voort te zetten.

Rotterdam, november 2007
Gijs Scholtens
gijs.scholtens@planet.nl
gijsscholtens@gmail.com

TASKFORCE URUZGAN EN THE RULE OF LAW[1]

1 Een groot gedeelte van dit hoofdstuk is gepubliceerd in het Nederlands Juristenblad van 28 september 2007 p. 2128 e.v.

Law and order of rechteloosheid?

Een regelmatig door mij gehoorde ontboezeming in Afghanistan is, dat tijdens het Taliban-bewind het weliswaar allemaal vreselijk streng was, maar men (dus) precies wist waar men aan toe was. Er was '*law and order*'. Nu is Afghanistan een democratie, maar er heerst rechteloosheid. Kortom, enerzijds een somber beeld, maar anderzijds een uitdaging voor de internationale gemeenschap om te helpen daarin verbetering te brengen. Dat is ook een van de speerpunten van onze Taskforce Uruzgan.

Afghanistan

Afghanistan met een oppervlakte van 647.000 km2 is ongeveer 15 keer zo groot als Nederland, maar telt een totale bevolking van circa 32 miljoen mensen, dus ongeveer het dubbele van het aantal inwoners in Nederland. In de hoofdstad Kabul wonen 2,2 miljoen mensen en in de stad Kandahar (ooit het centrum van de Taliban) 350.000. De gemiddelde levensverwachting is 43 jaar (in Nederland 79 jaar) en bijna de helft van de bevolking is jonger dan 15 jaar oud.[2]

Het land is tweetalig: Dari en Pashtu. Afghanistan heeft een zeer sterke stammencultuur (loyaliteit aan familie en stam gaat boven alles) met als belangrijkste bevolkingsgroepen de Pashtun (Patanen), Tadzjieken, Hazara's en Oezbeken. Een groot deel van het land is onherbergzaam en de oostgrens met Pakistan is door de Engelsen in 1893 dwars door het volk van de Pashtun getrokken. Dat verklaart dat de Taliban, die een grote aanhang heeft onder de Pashtun, zich heen en weer over de moeilijk af te sluiten grens met Pakistan beweegt.

Een bloedige historie

De geschiedenis van Afghanistan is een bloedige en de recente al helemaal. In de 19[de] eeuw probeerden zowel de Russen als de Engelsen Afghanistan als buffer tussen elkaar onder controle te krijgen , maar de drie Engels-Afghaanse oorlogen liepen slecht voor Engeland af.

Nadat in 1923 Afghanistan een onafhankelijk koninkrijk werd zoekt het midden jaren 50 steun bij Rusland, nadat eerst de U.S.A. die steun (voor opbouw van het leger) had geweigerd. Nadat in 1978 een bloedige communistische coup had plaatsgevonden valt Rusland een jaar later Afghanistan binnen en installeert een marionetten regering. De mujahideen,

---

2 Zie voor algemene gegevens www.cia.gov/library/publications/the-world-factbook/af.html

vrijheidstrijders, beginnen een guerilla-oorlog tegen de Russen.[3] De Russen trekken zich in 1989 terug, na in tien jaar circa 50.000 manschappen te hebben verloren, maar de mujahideen zetten de strijd voort tegen het zittende regiem en veroveren in 1994 Kabul. Een burgeroorlog is in volle gang Zo bevinden zich in de bergen rond Kabul meerdere elkaar bevechtende strijdheren, waarbij Kabul door talloze raketaanvallen grotendeels wordt verwoest. De Taliban ('studenten'), hoofdzakelijk afkomstig uit de Islamitische scholen in Pakistan –en door Pakistan gesteund- werpen zich in de strijd en veroveren onder leiding van mullah Omar in 1996 Kabul en voeren een stricte interpretatie in van de Sharia (het recht van de islam). De Taliban bieden ook, de uit Saoedie Arabie afkomstige, rijke Osama Bin Laden een toevluchtsoord. In met name het noorden van Afghanistan woedt de strijd voort met als belangrijkste krijgsheer de legendarische Massoed. Wanneer de Taliban in 1999 de noordelijke stad Mazar-i-Sharif innemen worden bij een daarop volgende ethnische zuivering van Shiieten duizenden Hazara's afgeslacht. De Verenigde Naties treffen diverse sanctiemaatregelen tegen het Taliban-bewind wegens het onderdak bieden aan Osama Bin Laden en het steunen van terrorisme, narcotica productie etc.

Afghanistan na 9/11

Op 9 september 2001 wordt krijgsheer Massoed vermoordt en op 11 september wordt de wereld opgeschrikt door de aanslagen in New York. In de loop van september 2001 begint de U.S.A. met strategische bombardementen, een maand later gevolgd door het inzetten van grondtroepen in Afghanistan. Op initiatief van de Verenigde Naties vindt in november 2001 een conferentie in Bonn plaats van vertegenwoordigers van diverse Afghaanse groeperingen. Overeenstemming wordt bereikt over de toekomstige structuur van Afghanistan, waarbij de Afghanen zich tot de internationale gemeenschap wenden met een verzoek om hulp. Hamid Karzai wordt benoemd tot hoofd van de interimregering. De Afghanen verklaren zich ook bereid tot samenwerking met de internationale gemeenschap in de strijd tegen het terrorisme, de drugshandel en de georganiseerde misdaad.[4] Op 9 december 2001 geeft de Taliban zijn laatste bolwerk, Kandahar, op.waarna de Veiligheidsraad van de Verenigde Na-

---

3 Zie bijv. De film 'the beast of war' over een verdwaalde Russische tank

4 www.mindef.nl 'Waarom naar Afghanistan'

ties besluit tot het instellen van een internationale vredesmacht, ISAF (International Security Assistance Force). Aanvankelijk was het doel van ISAF de nieuwe Afghaanse interimregering in Kabul te ondersteunen bij het handhaven van de veiligheid. Gevechten in het hele land met Taliban, ook al heeft die in januari 2002 officieel gecapituleerd, duren echter voort. De taak van ISAF is door een VN-resolutie in oktober 2003 uitgebreid tot de rest van het land. In januari 2004 wordt een nieuwe, moderne, grondwet aangenomen. In oktober 2004 worden algemene verkiezingen gehouden en Karzai benoemd tot president. De door de U.S.A. geleide coalitie-troepen zijn in 2004 en 2005 (Operatie Enduring Freedom) voortdurend in strijd gewikkeld met Taliban eenheden. Tijdens het voorjaar van 2006 nemen de acties van de Taliban in de zuidelijke provincies (Kandahar, Uruzgan, Helmand) toe en in augustus 2006 nemen NATO-troepen, waaronder de Nederlandse Taskforce Uruzgan, het commando in die provincies over.[5]

Het bovenstaande is slechts een zwakke weergave van wat zich heeft afgespeeld in de laatste 30 jaar, waarbij de complexiteit van de onderlinge verhoudingen binnen Afghanistan en de steun van alle buitenlandse mogendheden in wisselende samenstelling voor de ene of de andere oorlogvoerende factie, maar buiten beschouwing is gelaten, evenals de op de achtergronden ook meespelende grote belangen van de olie- en gasindustrie voor de aanleg van pijpleidingen door Afghanisten, de smokkelaars (de 'transportmaffia') en tenslotte de drugswereld.[6] Afghanistan heeft zich, ook de laatste jaren, ontwikkeld tot de grootste opium (basis voor heroïne-)producent van de wereld.

Ook zonder dat te beschrijven moge het duidelijk zijn dat het Afghaanse volk, los van droogte en aardbevingen (1998 en 1999), gigantisch heeft geleden. Landbouwgronden zijn verwoest of door mijnen onveilig geworden, mensenrechten zijn - niet alleen door de Taliban - praktisch voortdurend geschonden; honger en armoede waren regel. Meer dan de helft van de bevolking heeft zijn hele leven niets anders gekend dan oorlog en verwoesting.

5   Zie voor een overzicht van de geschiedenis www.infoplease.com/spot/taliban-time en www.afghan-web.com/history alsmede Ahmed Rashid, 'Taliban', (Nederlandse vertaling, zie bibliografie)

6   Zie daarover Ahmed Rashid t.a.p. p. 203 e.v.

Taskforce Uruzgan: counter-insurgency operatie

In het debat over inzet van Nederlandse troepen in Afghanistan is steeds een onderscheid gemaakt tussen 'vechtmissie' of 'wederopbouwmissie'. Een vechtmissie, zoals Operation Enduring Freedom wilden wij niet, maar een wederopbouwmissie wel. Weliswaar werd onderkend dat ook bij een wederopbouwmissie gewapend optreden, dus vechten, all in the game was, maar in de publieke beleving zou dat niet veel voorstellen. Aldus namen wij met Taskforce Uruzgan per 1 augustus 2006 het commando over in de provincie Uruzgan voor intitieel de duur van twee jaar. Er moesten door en voor ons bases gebouwd worden in de provincie hoofdstad Tarin Kowt en Deh Rawod ten westen daarvan, waarmee in maart/april 2006 werd begonnen. De nadruk lag, in de publieke beleving, op de wederopbouwwerkzaamheden en als gevolg daarvan trad iedere keer weer een schok-effect op, wanneer als gevolg van gevechtshandelingen een Nederlandse militair sneuvelde en bleek, zoals de slag om Chora van 26 aril tot circa 19 juni 2007[7], er stevig gevochten moest worden om controle over onze 'inktvlek' veilig te stellen. Zoals Brocades Zaalberg treffend heeft beschreven is het onderscheid tussen 'vechtmissie' en 'wederopbouwmissie' voor een operatie als in Uruzgan onjuist.[8] De missie van onze Taskforce Uruzgan is het creëeren van de volgende eindsituatie: '*A secure and stable Uruzgan, that will allow the Government of Afghanistan to exert its influence without international military assistance*'. In een gebied als Uruzgan, waar OMF (Opposing Military Forces, de verzamelnaam voor Taliban en wie dan ook die proberen gewapenderhand proberen de macht in het gebied te verkrijgen) actief zijn, is een dergelijke stabilisatie-missie een counter-insurgency operatie. Brocades Zaalberg omschrijft dat als volgt: 'Counter-insurgency draait voor een krijgsmacht hoofdzakelijk om militaire assistentie aan het (civiele) gezag wanneer een regering, het bestuurs- en politieapparaat onder vuur liggen van gewapende opstandelingen... De instemming van de bevolking met het staatsgezag en de acceptatie van het geweldsmonopolie van de staat is het doel'[10]. Dat is dus een onverbrekelijke combinatie van 'vechten' om

---

7   Zie 'De slag om Chora, een reconstructie', Defensiekrant 28 juni p. 8, te lezen op www. mindef.nl onder Aktueel, Defensiekrant

8   Dr. T.W. Brocades Zaalberg, 'Hearts and minds of search and destroy? Leren van klassieke counter-insurgency', Militaire Spectator 7/8-2007 p. 288 e.v.

9   Ontleend aan standard briefing TFU

10   Brocades Zaalberg t.a.p. p. 293

het gebied onder controle te krijgen en te houden en 'wederopbouw' om weer een normaal functionerende maatschappij tot stand te brengen. In de woorden van Generaal Sir Gerald Templer die tussen 1952 en 1954 leiding gaf aan de Engelse operatie in Maleisië: '*The shooting side of this business is only 25 percent of the trouble and the other 75 percent lies in getting the people of this country behind us*'[11]. Weliswaar mag Uruzgan geen 'oorlogsgebied' worden genoemd, maar het is en blijft een 'conflictzone'. Eigenlijk spreekt het ook voor zich: in een conflictzone kun je niet aan wederopbouw doen zonder eerst (met militaire middelen) de controle over en de veiligheid in het gebied te hebben verzekerd. Omgekeerd krijg je nooit stabiliteit en veiligheid in een gebied, indien je niet tevens een normale maatschappij (weder)opbouwt.

Het is dus niet alleen het 'hearts and minds'-verhaal van wederopbouw, maar ook noodzakelijkerwijs de (tenminste) 25% vechten om onze missie in Uruzgan succesvol te kunnen doen zijn en die laatste noodzaak is door de gecreëerde onjuiste tegenstelling tussen vechtmissie en wederopbouwmissie onderbelicht gebleven. Over die tegenstelling zei de commandant van TFU1 kolonel Theo Vleugels dan ook terecht: 'Die discussie boeit mij niet.We doen hier allebei.'[12]

CIMIC (Civil Military Cooperation)

De primaire taak van een krijgsmacht is niet gelegen in het verrichten van wederopbouwwerkzaamheden. Dat is een taak voor nationale en internationale hulporganisaties –NGO's (non governmental organisations)en IO's (international organisations)-, voorzover de eigen overheid in het betreffende land daartoe niet bij machte is. NGO's en IO's willen in den regel hun werk doen zonder hulp en bijstand (force protectie) van de krijgsmacht om hun neutraliteit/onpartijdigheid te waarborgen en te benadrukken. Zo lang echter een gebied te onveilig is voor de NGO's en IO's om zelfstandig hun werk te kunnen doen, zal noodgedwongen de krijgsmacht die taak moeten uitvoeren in een stablisatie/counter-insurgency missie als in Uruzgan. De krijgsmacht concurreert dus ook niet met NGO's en IO's, maar beiden vullen elkaar aan. In de eerste fase, waarin een gebied nog te onveilig is voor de NGO's en IO's doet de krijgsmacht het elementaire wederopbouwwerk en treedt geleidelijk terug ten behoeve

---

11 Brocades Zaalberg t.a.p. p. 296

12 Groene Amsterdammer 5 januari 2007 geciteerd in Brocades Zaalberg t.a.p. p. 299/300

van de NGO's en IO's, die dat werk overnemen, naarmate de veiligheids-situatie dat toelaat. Zo ook in Uruzgan, waar TFU de komst van NGO's en IO's aanmoedigt[13]. De beoogde eindsituatie is immers, zoals in de vorige paragraaf beschreven, dat uiteindelijk de regering van Afghanistan zonder internationale militaire hulp haar gezag kan uitoefenen en er een normaal functioneerde maatschappij is.

Civil Military Cooperation (CIMIC) is de verzamelnaam voor de activiteiten van de krijgsmacht die op wederopbouw zijn gericht. Aanvankelijk waren die activiteiten in Nato-verband ondergebracht in de CIMIC Group North en de CIMIC Group South, maar uiteindelijk is overgegaan tot het door ieder Nato-land formeren van een eigen CIMIC-eenheid. In Nederland is dat geschied in de vorm van de oprichting van 1.CIMIC bataljon. Naast een vaste staf wordt dat bataljon gevormd door circa 500 reserve-officieren, geselecteerd op hun specifieke deskundigheid in de burgermaatschappij. Zij worden, indien in het kader van een militaire missie aan die deskundigheid in het uitzendgebied behoefte bestaat, als functioneel specialist, voor een aantal maanden uitgezonden. Naast de als zodanig opgeleide missieteams van de uitgezonden eenheid zelf, die in het uitzendgebied de CIMIC-werkzaamheden doen, fungeren de functioneel specialisten in feite als eenmans missieteams op het gebied van hun specifieke deskundigheid in nauwe samenwerking met de andere missieteams.

Provinciaal Reconstructie Team (PRT) TFU

Het mag, gezien het bovenstaande, ook duidelijk zijn, dat nu onze missie in Uruzgan is het zorgen voor 'stability and security' ('veiligheid en stabiliteit'), dat los van militaire controle ('veiligheid') de stabiliteit niet alleen bereikt kan worden met het bouwen van scholen en ziekenhuizen (meer de 'hearts'-component van de 'hearts and minds' benadering), maar essentieel is te zorgen voor een goed functionerend openbaar bestuur, politie en rechtspleging (meer de 'minds'-component), om te bereiken dat de bevolking (weer) vertrouwen heeft in de eigen overheid.[14] Bij dit alles moet worden bedacht dat essentieel in onze missie is dat wij niet de Afghanen in Uruzgan de wet (laat staan onze wet) voorschrijven, maar dat wij, met respect voor hun cultuur, normen en waarden, assistentie verle-

---

13 Zie ook het weblog van Lkol van der Voet van 26 juli 2007 op www.brabantsdagblad.nl

14 Zie ook Brocades Zaalberg t.a.p. p. 300

ncn om hun staat weer op te bouwen. In TFU-termen: '*TFU assists local governance in building its capacity, authority and influence, in order to set the conditions for a secure and stable Uruzgan province.*'[15]

Naast de battlegroup en verdere ondersteunende eenheden (met inbegrip van de Australische Reconstruction Task Force) wordt TFU gevormd door het Provinciaal Reconstructie Team (PRT), dat zich bezighoudt met alle wederopbouw-activiteiten.

Het PRT van TFU bestaat uit circa 50-60 militairen, waaronder 3 of 4 missieteams die de provincie in gaan, een detachement van de Koninklijke Marechausse dat de ANAP (Afghan National Auxiliary Police, de hulppolitie) opleidt, CIMIC (Civil Military Cooperation) functioneel specialisten op het gebied van gezondheidszorg, infrastructuur en rechtsorde[16], CSE (CIMIC Support Unit) en de gebruikelijke stafsecties, zoals S2 (inlichtingen) en S3 (planning). Daarnaast onderhoudt het PRT contact met de U.S.Polad, de vertegenwoordiger van USAID, de Australische liaison-officer en vertegenwoordigers van Dyncorp (een Amerikaanse overheidsonderneming die betrokken is bij o.a. de bewapening en betaling van de ANP (Afghan National Police, de reguliere politie) en ANAP)

Op het gebied van 'Governance' geschiedt de assistentie ondermeer door overleg met de Gouverneur van Uruzgan en zijn 'Ministers' (hoofden van departementen) en opgezette PDC's (Provincial Development Committees) per departement, waarin wij de Afghanen adviseren en helpen hun bestuursstructuur op te bouwen en plannen te maken. Dat overleg wordt gevoerd door de commandant PRT[17] en officieren van het PRT samen of in samenspraak met de Polad (de politiek adviseur van de commandant TFU afkomstig van het ministerie van Buitenlandse zaken)[18] en de Osad (de adviseur van het ministerie van Ontwikkelingssamenwerking)[19].

---

15 Standaard TFU-briefing

16 Situatie tijdens mijn uitzending; vanaf juli 2007 uitbreiding met o.a. een functioneel specialist landbouw

17 Tijdens mijn uitzending C-PRT2 lkol Gerard Koot en C-PRT3 lkol Gino van der Voet, zie ook zijn wekelijkse weblog op www.brabants.dagblad.nl onder buitenland

18 Tijdens mijn uitzending de diplomaat Sebastiaan Messerschmidt

19 Tijdens mijn uitzending Marten de Boer

The rule of law

Naast de activiteiten op het gebied van openbaar bestuur ('Governance'), welke al direct na aanvang van de missie in augustus 2006 in gang werden gezet, werd allengs duidelijk dat de justitiële sector ('Justice') apart en bijzondere aandacht behoefde, zoals wel mag blijken uit mijn inleidende paragraaf. Het functioneren van een behoorlijk en fatsoenlijk - binnen de Afghaanse wetgeving! - juridische keten (politie, openbaar ministerie, advocatuur, rechtspraak en gevangeniswezen) is essentieel om stabiliteit en vertrouwen van de bevolking in de eigen overheid te bewerkstelligen. Iedere keten is zo sterk als de zwakste schakel. De politie krijgt aandacht in het kader van 'security', want in wezen is de hoofdtaak van de politie (ANP en nog meer ANAP) meer een militie- dan een politietaak. Politie bemant de checkpoints en is, bij gebreke van voldoende ANA-troepen (Afghan National Army, het leger) in feite, als eerste verdedigingslinie, belast met de beveiliging en verdediging van steden, dorpen en wegen tegen de Taliban. De rol van de politie in de rechtshandhaving is minimaal. Zo gaat het verhaal (en het blijft altijd bij verhalen) dat toen de politie ergens in een dorp in de provincie een moordenaar arresteerde men hem liet laten lopen met het advies naar Pakistan te vluchten (zou hij in de buurt blijven kon hij rekenen op wraak van de familie van het slachtoffer). Anders zou de politie hem met de een of twee politievoertuigen van het dorp naar de provincie hoofdstad Tarin Kowt moeten brengen ter berechting. Een gevaarlijke tocht door vijandelijk gebied (onze 'inktvlek' beslaat immers maar een klein stukje van de provincie van Tarin Kowt naar Deh Rawod met wat uitlopers), terwijl in de tussentijd het dorp onbeschermd zou zijn wegens afwezigheid van het grootste deel van de politiemacht.

Uit de fragmentarische informatie was al duidelijk dat de justitiële keten in Uruzgan gebrekkig werkte. Uruzgan is ook een moeilijke provincie, ongeveer in grootte driekwart van Nederland met circa 350.000 inwoners, waarvan ongeveer een kwart woont in (de omgeving) van Tarin Kowt en Deh Rawod. Het is in alle opzichten een arme, achtergebleven en onderontwikkelde provincie, letterlijk en figuurlijk ver weg van Kabul.

Rashid noemt Uruzgan 'een van de achterlijkste en ontoegankelijkste streken van het land, waar Sovjet-troepen zelden doordrongen'[20]. Het is

---

20 Rashid t.a.p. p. 46

een agrarische provincie en een van de grootste papaver-producenten, zodat, mede omdat het een belangrijke doorvoerroute is, de 'powerbrokers' uit drugswereld een stevige vinger in de pap (schijnen te) hebben. De Pashtu-bevolking is sterk traditioneel en in de tijd van het Talibanregiem kwamen veel Talibanleiders uit deze provincie. Ook de familie van de grote Talibanleider mullah Omar was in de jaren '80 naar Tarin Kowt verhuisd[21].

Herstel van de rechtsorde, 'the rule of law' werd dan ook bij TFU2 in 'Governance and Justice' hoog op de lijst van prioriteiten gezet.

Functioneel specialist juridische zaken

In het najaar van 2006 werd door de commandant TFU verzocht om een functioneel specialist juridische zaken aan het PRT toe te voegen voor het herstel van de rule of law. Toen ik medio 2005 na 35 jaar de advocatuur bij NautaDutilh vaarwel zei heb ik mij beschikbaar gesteld voor CIMIC, omdat het mij aansprak mijn juridische expertise in combinatie met mijn belangstelling voor het krijgswezen nog een keer, als de kans zich zou voordoen, nuttig te maken. Na een korte opleiding op de KMA met een klasje soortgenoten werd ik in mei 2005 in het CIMIC-bestand opgenomen als reserve-majoor der Grenadiers om eventueel te worden uitgezonden in het kader van een militaire missie als functioneel specialist 'conceptual policy planner labour'. Dat was het gevolg van mijn achtergrond als arbeidsrecht-advocaat. Dat belette mij niet, gezien het algemene karakter van de juridische missie in Uruzgan, toen de belangstelling daarvoor in het CIMIC-netwerk werd gepeild, mij daar ogenblikkelijk voor aan te melden. Nadat ik begin december 2006 op de shortlist was geplaatst werd ik 2 januari 2007 in alle vroegte gebeld met de aankondiging dat ik op 6 februari naar Uruzgan werd gezonden als 'functional specialist legal'. Terstond hield ik op met scheren om mijn baard te laten groeien, want, zoals zich in de praktijk ook wel zou bewijzen, zonder baard tel je in Uruzgan niet mee. Er volgden drukke weken van voorbereiding, deels militair, met inbegrip van schietvaardigheid en 'mine-awareness' –want ik werd uitgezonden als militair om een missie uit te voeren in een 'conflictzone'- deels inhoudelijk over de situatie, de cultuur en gewoonten in Uruzgan. Op 23 januari volgde mijn formele missie-opdracht van de directie operaties van het ministerie van Defensie:

---

21 Rashid t.a.p. p. 46

'Opdracht:

Inventariseer de situatie op juridisch/gerechtelijk gebied in Uruz-gan (een deel is bekend, maar het beeld is nog niet compleet)

Inventariseer, in nauw overleg met POLAD en ambassade, welke nationale en internationale programma's in Afhghanistan beschikbaar zijn en in Uruzgan ontplooid kunnen worden.

Doe aanbevelingen voor de voortzetting van het werk van een functioneel specialist Juridische aangelegenheden als onderdeel van het PRT

Inhoudelijk wordt je aangestuurd door de POLAD. Je rappor-teert ook aan hem, in afschrift aan Commandant PRT en Hoofd CIMIC van de TFU. Daarnaast kun je je eigen netwerk van de nodige informatie voorzien om op de hoogte te kunnen blijven van de ontwikkelingen en om je zo nodig van advies te kunnen voorzien.

Voor de planning gaan we er nu van uit dat jij na 3 maanden wordt afgelost, waarbij het ook nog tot de mogelijkheid behoort dat je, samen met de POLAD, Commandant PRT en hoofd CI-MIC, na enkele weken tot de conclusie komt dat opvolging geen zin heeft. We willen dit wel graag na 4 weken uitzending van je vernemen, zodat we tijdig je opvolger kunnen informeren.'

Het Afghaanse recht

De opdracht hierboven was duidelijk, maar hoe pak je nu zo'n *'rule of law'*missie aan? Voor de hand ligt te beginnen met een, al is het maar globale, indruk te vormen van het Afghaanse recht. Op internet is de huidige Afghaanse wetgeving ook in engelse vertaling te vinden[22]. Het rechtssysteem van Afghanistan heeft Franse en Marxistische invloeden ondergaan en werd tijdens het Talibanbewind geheel gestoeld op de Sharia (het strenge Islamitische recht). Na de val van de Taliban wer-den de oude wetten weer van kracht. Met hulp van de internationale gemeenschap werd in 2004 een nieuwe, aan de eisen des tijds voldoende, Grondwet aangenomen, met daarin ondermeer gelijkheid van mannen en vrouwen, maar tevens met de bepaling dat geen enkele wet in strijd zal mogen zijn met de islam. De internationale gemeenschap verleent nu

---

22 Zie bijvoorbeeld de Law Library van het Amerikaanse Congress www.loc.gov/law/guide/af-ghanistan.html

ook steun bij modernisering van de wetgeving, met Italië als 'lead nation', maar dat verloopt uitermate traag, ook door het nog verre van geoliede parlementaire wetgevingsproces. Intussen blijven dus de oude wetten van kracht. Het wetboek van strafrecht, ook al dateert dat uit 1976, gaat uit van het beginsel van 'geen straf zonder voorafgaande wettelijke bepaling'. Het strafprocesrecht, met inbegrip van de Politiewet, kent strenge termijnen. De politie mag een arrestant maximaal 72 uur vasthouden, waarna hij of op vrije vroeten moet worden gesteld of de zaak in handen gegeven moet worden aan de Officier van Justitie, die binnen twee weken moet beslissen of hij de zaak aanhangig maakt. Zo ja, dan moet het gerecht in eerste aanleg ook binnen enkele weken de zaak behandelen en beslissen. Dergelijke termijnen gelden ook voor hoger beroep en cassatie (maar daar in de vorm van enkele maanden) bij het Hooggerechtshof in Kabul. De rechters zijn onafhankelijk en worden benoemd door het Hooggerechtshof, waarvan de leden zelf worden benoemd door het parlement. Afghanistan heeft alle belangrijke mensenrechtverdragen onderschreven. In theorie ziet het er dus allemaal op papier, los van de gewenste modernisering, redelijk uit.

Naast het overheidsrecht en de overheidsrechtspraak, zowel civiel- als strafrecht, aangeduid als het formele rechtssysteem, worden van oudsher in Afghanistan conflicten opgelost door vergaderingen van stam- en dorpsoudsten en vergaderingen (shura's), terwijl ook de geestelijken (de mullah's) daarbij een rol spelen. Daarbij speelde, en speelt, het gewoonterecht (in het gebied van de Pashtun, de Pashtunwali) een belangrijke rol. Kenmerk van die wijze van conflictoplossing, aangeduid als het informele rechtssysteem, is het streven de balans tussen partijen (ook tussen dader en slachtoffer) te herstellen. Getracht wordt in de shura's consensus te bereiken, waardoor zij een sterk mediation karakter hebben.

Tot zover de theorie. Voor mijn missie was het niet zozeer de vraag hoe het rechtstelsel in Afghanistan inhoudelijk in elkaar zat, maar of en hoe het werkte in de praktijk in de provincie Uruzgan. Hervorming van het recht en aanpassing van wetgeving vindt immers niet op lokaal/provinciaal niveau plaats, maar in Kabul en Uruzgan is letterlijk en figuurlijk ver van Kabul. Onze TFU-missie is, zoals hierboven aangegeven, de Afghanen in Uruzgan te helpen hun systeem te laten functioneren.

Rule of law missie Uruzgan

Na eerst in Kabul oriënterende gesprekken te hebben gevoerd met o.a. onze ambassade, een raadsheer in het Hooggerechtshof, de onderminister van Justitie, de VN-adviseur van de Procureur-Generaal, de directeur van het AIHCR (Afghan Independent Human Rights Commission), het hoofd van de Rule of Law-afdeling van UNAMA (United Nations Assistance Mission Afghanistan), kon ik enkele dagen later in Kamp Holland in Uruzgan aan de slag. Daarbij realisere men zich dat voor het voeren van gesprekken buiten de basis Kamp Holland of bezoeken aan de stad Tarin Kowt een zwaar bewapend militair konvooi nodig is, terwijl men de Afghaanse gesprekspartners ook niet iedere dag naar Kamp Holland kan laten komen, nog los van de beschikbaarheid van tolken. De bewegingsvrijheid is dus beperkt en de communicatie traag. In de loop der tijd voerde ik gesprekken met rechters, officieren van justitie, politiecommandanten, geestelijk leiders en andere gezagsdragers om een indruk te krijgen van hun noden om het rechtssysteem (beter) te laten functioneren. Aan alles bleek gebrek. Onvoldoende politie, officieren van justitie en rechters, mede als gevolg van ontbreken van een behoorlijke salariëring (met dientengevolge verhoogd risico van corruptie) en de veiligheidssituatie. Inadequate, waaronder begrepen onveilige (voor aanslagen), huisvesting en een voorwereldlijke gevangenis. Ontoelaatbare interventie van 'influential people' in de rechtsgang etc.Het moge duidelijk zijn dat daardoor het formele rechtssysteem onvoldoende kon functioneren.Van het functioneren van het informele rechtssysteem in de provincie Uruzgan heb ik mij in die drie maanden geen beeld kunnen vormen, omdat de tijd en de bewegingsmogelijkheden ontbraken om op onderzoek uit te gaan in de provincie. Mijn opvolgers zullen daaraan, waar mogelijk, ook de nodige aandacht besteden. Dat het informele en het formele rechtssysteem in Afghanistan, op zijn zachtst gezegd, niet altijd synchroon lopen is van algemene bekendheid. In zijn stuk voor de 'Conference on the Relationship between State and Non-State Justice Systems in Afghanistan', in Kabul op 10-14 December 2006, schrijft Thomas Barfield: 'The informal justice system has several key failings in its ability to deliver justice. Women are generally excluded from informal processes, having to rely on male family members to represent them, and are subject to cultural norms that impose a deep inequality on women. Some practices, such as forced marriage as compensation, are gross human rights violations* *and cannot be tolerated under Afghan law or Islam. There is also unfairness in the informal system in the inability of a weak party to demand settlement from a much stronger one.*[23]

Al doende kon ik mij een beeld vormen en dat vervolgens in een kader plaatsen, als volgt:

1. Het vertrekpunt was:
    a. TFU-missie: veiligheid en stabiliteit in Uruzgan
    b. TFU2 prioriteit: bestuur en rechtspleging
    c. Mijn missie (op het gebied van rechtspleging):
    i. Stel vast wat de situatie is en
    ii. Doe aanbevelingen over verbetering(sprogramma's)

2. Ik moest dus onderzoeken en rapporteren over de rechtspleging
    a. overheidsrechtspraak (formele rechtssysteem) en
    b. Sharia en Pashtunwali (informele rechtssysteem)

Om praktische redenen concentreerde ik mij op de overheidsrechtspraak. Immers die speelde zich hoofdzakelijk af in de provincie hoofdstad Tarin Kowt en genoot in mijn ogen, voor wat betreft herstel van vertrouwen van de bevolking in de eigen overheid, ook prioriteit. Bovendien was het om veiligheidsredenen niet mogelijk, althans niet gemakkelijk, om elders in de provincie op onderzoek uit te gaan.

3. In de keten van overheidsrechtspraak speelden de volgende acto-ren een rol, ten aanzien van ieder waarvan ik moest bezien welke rol ze feitelijk vervulden en welke rol (en met welke middelen) ze zouden moeten vervullen:
    a. de politie (ANP, ANAP en de vroegere Highway Police)
    b. het openbaar ministerie (hoofdofficier van justitie en mi-litaire en politieke aanklagers)
    c. advocatuur (niet aangetroffen in Uruzgan)
    d. rechtbank (op provinciaal en districtsniveau)
    e. gevangenis (provinciaal en detentiecentra op districtsni-veau)

---

23 'The Clash of Two Goods' p. 17, zie www.usip.org/ruleoflaw/projects/kabul_conference.html

f. de (provinciale) overheid (die zou geen rol moeten vervullen, behalve het Huquq departement dat een bemiddelingsrol speelt in conflicten)

g. de bevolking (als rechtssubject en –object)

4. in het informele rechtspraaksysteem zijn de volgende actoren te onderscheiden:

    a. de mullah's (de geestelijk leiders voor wat betreft de Sharia)

    b. shura's (vergaderingen van stam- en dorpsoudsten, die niet zozeer rechtspreken maar consensus proberen te bereiken)

    c. de maliks (de dorpsoudsten met vaak een bemiddelende rol)

    d. de 'warlords' (door mij gebruikt als een verzamelnaam voor alle niet legale 'powerbrokers': voormalige krijgsheren, drugsbaronnen, transportmaffia')

    e. (helemaal niet door mij in ogenschouw genomen: Taliban rechtspraak in door Taliban gecontroleerde gebieden)

5. De essentie van een rechtstaat is dat, zoals minimaal vereist is voor een kruk om op te kunnen zitten, hij moet rusten op drie stevige poten, door mij aangeduid als '*The three pillars of justice*,:

    a. Gekwalificeerde betrouwbare personen (rechtspleging blijft immers mensen werk)

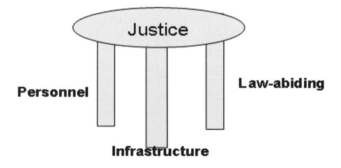

The three pillars of justice

Justice is like the most simple chair:

    b. Behoorlijke en veilige infrastructuur (zonder gebouwen, denk alleen maar aan een gevangenis, kan rechtspleging niet behoorlijk functioneren)

    c. Rechtsgevoel/-bewustzijn (let wel, niet onze normen en waarden, maar die van Afghanistan anno 2007)

6. ad 5a. personen:

    a. er moet een behoorlijke werving en screening zijn

    b. zij moeten goed worden opgeleid

    c. zij moeten voorzien zijn van deugdelijke middelen (of het nu een AK-47 voor de politie is of wetboeken voor de rechters)

    d. zij moeten een adequate beloning ontvangen (zodat zij niet afhankelijk zijn van andere, en zeker niet van illegale, inkomsten)

    e. zij moeten in hun functioneren worden gevolgd en beoordeeld

    f. incentives tot verbetering van functioneren hebben een positief effect

7. ad 5b. infrastructuur:

    a. er moeten passende locaties en gebouwen zijn

    b. die moeten worden ingericht (tafels, stoelen etc.)

    c. en voorzien worden van noodzakelijke apparatuur en middelen (of het nu typemachines (computers), kantoorbenodigdheden of bezems zijn)

    d. en communicatiemiddelen (telefoon, fax, email is nog te ver weg)

    e. er moet water en licht zijn (en dus ook aggregaten)

    f. en alles moet tenslotte vanzelfsprekend onderhouden worden

8. ad 5c. rechtsgevoel/-bewustzijn:

    a. kennis van het recht

    b. kennis van de mensenrechten

    c. niet alleen kennis maar ook in de praktijk brengen van gelijke rechten van mannen en vrouwen

    d. een behoorlijke procesvoering (of het nu gaat om de verwerking van een aangifte door de politie, een rechtszaak of behandeling van gevangenen)

e. opvoeding van jongs af aan in het onderscheid tussen goed en kwaad en een juiste interpretatie van de Koran

250 rule of law onderwerpen, opportunities en knelpunten

Voegt men nu al het bovenstaande samen in een diagram, zie hiernaast, en beziet men voor alle actoren hierboven sub 3 en 4 genoemd, voor zover relevant, de onderwerpen genoemd hierboven sub 6, 7 en 8, dan ontstaat daaruit een lijst van ruim 250 mogelijke projectonderwerpen, die in ogenschouw genomen moeten worden en waaraan iets gedaan zou moeten worden om de rechtstaat (in Uruzgan) weer te laten functioneren. Dat is natuurlijk aardig bedacht, maar met een schema met een onoverzienbare rij projecten, kom je in het stof van Uruzgan niet van de grond. Het was dus telkens kijken welke problemen je eenvoudig kon helpen oplossen ('opportunities'). Kleine problemen, zoals het verstrekken van rollen prikkeldraad aan de officier van justitie om zijn kantoor te beveiligen of een serie wetboeken aan de rechters. Of iets grotere, zoals een muur laten bouwen rond de rechtbank zodat de rechters hun werk veilig konden doen, of nog grotere, zoals het in gang zetten van de bouw van een nieuwe gevangenis. Ik heb in mijn 100 dagen uitzending slechts een begin kunnen maken, waarbij zoals de Defensiekrant kopte: 'Wanneer je vanaf nul begint, is alles winst'[24]. Mijn zes opvolgers zullen het komende jaar daarop voortbouwen. Het moge duidelijk zijn dat het slot van mijn opdracht om na vier weken te rapporteren of de rule of law missie zin had, door mij bevestigend is beantwoord. Nuttig werk dus voldoende voor alle opvolgers. Amnesty International heeft met het oog op de 2 en 3 juli 2007 gehouden Rome Conferentie over the rule of law in Afghanistan[25] op 29 juni 2007 *een public statement* uitgegeven met als kop '*Afghanistan: Justice and rule of law key to Afghanistan's future prosperity*'. Daarin worden onder meer de volgende feilen van het functioneren van het huidige rechtssysteem in het algemeen in Afghanistan genoemd:

'*Women victims and defendants have little recourse to justice and are discriminated against in the both formal and informal justice systems;...*

a judiciary with unqualified judicial personnel, susceptible to external pressure;

---

24 Gian Santevoeds interview met mij, Defensiekrant 21 juni 2007 p.9, te lezen op www.min-def.nl onder Aktueel, Defensiekrant, 2007, editie 24.

25 Zie www.embassyofafghanistan.org/documents/jointrecommendations.pdf

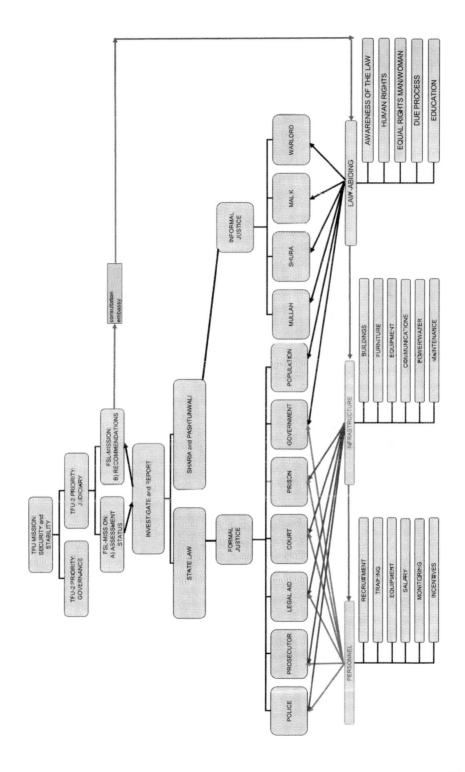

29

a poorly trained, poorly paid police force, susceptible to external pressure;
the threat to judicial independence by pressure from armed groups, persons holding public office, warlords and private individuals;
unfair trial procedures, including violations of the right to call and examine witnesses and the denial of defendants' rights to legal defence and access to information;
lack of confidence in or access to the formal justice system resulting in reliance on informal justice systems, especially in rural areas.

Een aantal van deze punten is, zoals uit het voorgaande mag blijken, in ieder geval herkenbaar in Uruzgan. Behalve het oplossen van eenvoudige knelpunten, waarmee tijdens mijn missie een begin is gemaakt zullen ook knelpunten in Uruzgan moeten worden opgelost, die minder gemakkelijk zijn op te lossen. Het grootste, direkte, knelpunt op dit moment in de juridische keten is de inadequate salariëring, van hoog tot laag, van de politieman tot de president van de rechtbank. Die veel te lage salariëring heeft tot gevolg dat onvoldoende gekwalificeerde mensen bereid zijn naar Uruzgan te komen, zodat er nu ook onvoldoende rechters en officieren van justitie zijn om, zelfs als ze zouden beschikken over passende gebouwen etc., de rechtsorde te herstellen en dat is nog slechts het begin van een lange proces om tot werkelijk de rule of law te komen. Gelukkig is tijdens de Rome Conferentie nu door de donorlanden een bedrag ter beschikking gesteld van 265 miljoen euro (en door Nederland 15 miljoen euro) om de justitiële keten te verbeteren, met inbegrip van het optrekken van de salariëring. De concrete uitwerking en toepassing daarvan gaan natuurlijk niet van de ene dag op de andere en Uruzgan is ver weg van Kabul en nog verder weg van de donorlanden. Het kan dus nog wel even duren voordat dit knelpunt in Uruzgan is opgelost en intussen blijft de keten zo sterk als de zwakste schakel. Daarbij blijft gelden dat zonder herstel van de rechtstaat veiligheid en stabiliteit onbereikbaar zijn en dat is immers het doel van onze Taskforce Uruzgan.

De toekomst van Task Force Uruzgan[26]

Tegen de tijd dat dit boek verschijnt zal de regering een beslissing hebben genomen over al of niet verlenging van onze militaire missie in Uruzgan. Naar ik hoop een besluit tot verlenging.

---

26 Een eerdere versie, maar met dezelfde strekking, van deze paragraaf is verschenen als opinie-stuk in de Volkskrant van 21 juli 2007 p. 15 onder de kop: 'We kunnen niet weg uit Uruzgan.'

Wij hebben destijds tot de missie besloten om het door tientallen jaren strijd verwoeste Afghanistan weer op de been te helpen. Anders wordt het de bakermat van het internationaal terrorisme. Dat zou voor de gehele wereld, en ook voor ons in Nederland, een bedreiging vormen. Internationaal terrorisme kent immers geen grenzen. Een aanslag in Nederland is net zo gemakkelijk gepleegd als in New York of Londen. Dat wij dus een steentje bijdragen aan de strijd tegen het internationaal terrorisme is niet alleen begrijpelijk, maar ook, voor onze eigen veiligheid, noodzakelijk. Die beweegredenen waren er toen wij aan de missie begonnen en die zijn nu nog onveranderd van toepassing. Wij hebben uitdrukkelijk gekozen voor primair een wederopbouw- en niet een vechtmissie in Uruzgan, ook al zou deze getypeerd hebben moeten worden als een counter-insurgency missie, waarin wederpbouw en vechten onverbrekelijk met elkaar verbonden zijn. Aan wederopbouw in Uruzgan doen wij ook veel: een paar honderd projecten inmiddels, klein en groot op het gebied van gezondheidszorg, onderwijs, infrastructuur, landbouw, openbaar bestuur en rechtspleging. Allemaal projecten die helpen om de stabiliteit en veiligheid en het herstel van de rechtsorde te bevorderen. Wij doen dat op onze, eigen, Nederlandse wijze. Wij zijn daar niet om onze normen en waarden op te dringen of de Afghanen te vertellen wat zij moeten doen, maar om hen te helpen zelf hun land weer op te bouwen met respect voor hun cultuur en tradities. Weliswaar een wederopbouwmissie, maar een onder moeilijke omstandigheden. Afghanistan is na de val van het Talibanregiem nog steeds een 'conflict-zone' waar dagelijks gewapende strijd en aanslagen plaatsvinden tegen de wettige regering. Wederopbouwwerkzaamheden moeten, zolang het niet veilig is voor hulporganisaties, uitgevoerd worden met militaire steun. Dat daarbij dus ook gevochten zal moeten worden om het Afghaanse leger en politie te ondersteunen en onze eigen mensen te beveiligen, is onvermijdelijk. Indien daarbij slachtoffers aan onze zijde vallen (en overigens meer aan de kant van het Afghaanse leger en politie) is dat natuurlijk zeer te betreuren. Onze militairen zijn geen padvinders, maar goedgetrainde professionals berekend op hun taak als vredesmacht. Na het einde van de Koude Oorlog hebben wij bewust onze krijgsmacht omgevormd tot een voor vredesoperaties als wij nu in Uruzgan uitvoeren. Iedere dode is en blijft er een teveel, maar de prijs van het inzetten van militairen, hoezeer ook ons devies wordt nageleefd van 'veiligheid eigen troepen eerst.'

Hebben wij nu straks in augustus 2008 onze taak volbracht, of is het onbegonnen trekken aan een dood paard gebleken? Moeten wij weggaan uit Uruzgan en een ander land het maar opnieuw laten proberen? Dat zou dan wel moeten, want Uruzgan, hoe achtergebleven ook, is de provincie die veel grote Talibanleiders in het verleden heeft voortgebracht. Wij kunnen dan weer fris en vrolijk aan een nieuwe missie bijvoorbeeld in Afrika, waar ook de toestand schrijnend is, beginnen. De, grote, investering in mensen, geld en materieel in Uruzgan is dan jammergenoeg voor niets geweest. Wij Nederlanders weten als geen ander dat je eerst moet zaaien en het opkomend gewas met zorg moet laten groeien alvorens je kunt oogsten. Na twee jaar in Uruzgan hebben wij hoogstens kunnen zaaien en de kiemen boven de grond zien uitkomen. Dat is ook gebeurd en vele projecten staan op stapel. Wederopbouwprojecten ontwikkelen en uitvoeren duurt jaren en ieder land zal dat op zijn eigen wijze doen. Hoe goed Amerikanen, Hongaren, Noren of Arabieren het op hun beurt zouden doen, zij zullen het anders doen. Zij zullen weer geheel opnieuw moeten beginnen om een vertrouwenwekkende relatie met de Afghanen op te bouwen. De Afghanen in Uruzgan weten nu zo'n beetje wat ze aan ons Nederlanders hebben. Wanneer wij besloten zouden hebben in augustus 2008 te vertrekken kunnen we misschien de daaraan voorafgaande maanden nog een beetje nuttigs doen, maar de Afghanen zullen, in onzekerheid over de toekomst, zich afstandelijker en terughoudender opstellen. Zij blijven immers achter en moeten zien in de dagelijkse strijd om het bestaan te overleven. Het algemene beeld in Uruzgan is dat maar10 procent van de bevolking overtuigd aanhanger is van de regering, en evenzo maar 10 procent Taliban aanhanger is. De rest, 80%, kiest voor degeen die hem de beste toekomst biedt en die groep proberen wij als Nederland met onze hearts and minds-aanpak voor de wettige regering van Afghanistan te winnen. Gaan wij dus weg na twee jaar en weer een nieuw soortgelijk avontuur aan elders in de wereld, dan blijven we alleen maar (zowel in Uruzgan als waar dan ook het nieuwe avontuur) half werk leveren. Dat rechtvaardigt niet het dagelijks op het spel zetten van de levens van onze militairen. Aan de andere kant kunnen wij als klein land met beperkte middelen in mensen, materieel en geld, mogelijk niet de missie in Uruzgan ongewijzigd voortzetten. Een dilemma dus: weggaan is niet goed en blijven kan niet? De oplossing is echter eenvoudig. Nu leveren wij met circa 1.500 militairen het grootste deel van de vredesmacht in Uruzgan, battlegroup (gevechts-eenheden), ondersteunende eenheden en het PRT. Het is het PRT die het eigenlijke CIMIC wederopbouwwerk doet en de kontakten onder-houdt met de lokale autoriteiten en bevolking. De oplossing is dat wij 'gewoon' blijven doen wat de kern van onze missie is: wederopbouw in de vorm van het blijven leveren van het PRT, zolang het niet veilig genoeg is voor de civiele hulporganisaties. Een ander land moet dan maar de batllegroup en andere ondersteunende eenheden leveren, waar-bij wij vanzelfsprekend geïntegreerd moeten blijven opereren. Dat moet mogelijk zijn. Als niet een land te vinden is dat alleen de battlegroup kan leveren is er al helemaal geen land te vinden dat en battlegroup en ook nog PRT kan leveren. Dan kunnen wij fatsoenshalve helemaal niet weg. Onze inzet met alleen een PRT is te overzien wat mensen en mid-delen betreft en wij doen precies wat wij willen en waar we goed in zijn: wederopbouw. Dan bewijzen wij iedereen een dienst: de Afghanen, de Nato en internationale gemeenschap en, niet in de laatste plaats, onszelf door onze krijgsmacht nuttig in te zetten voor het doel waarvoor wij die hebben: een vredesoperatie die van wereldbelang is

WEEKBRIEVEN[1] EN TOESPRAKEN

100 DAGEN UITZENDING

---

1 Delen van deze weekbrieven zijn eerder gepubliceerd in Armex april 2007 p. 5 e.v. en juni 2007 p. 8 e.v.

Rotterdam, maandag 5 februari 2007

Beste familie, vrienden en verdere belangstellenden naar mijn wederwaardigheden

Dinsdag 6 februari vertrek ik naar Afghanistan; vanaf dat moment is mijn emailadres voor de duur van mijn missie aldaar. gijsscholtens@gmail.com.

Na de melding op 2 januari in alle vroegte dat ik gepland stond 6 februari te vertrekken, hetgeen toch redelijk onverwacht was, is een hectische periode van voorbereiding gevolgd: briefings in Den Haag bij Defensie en Buitenlandse zaken, school voor vredesoperaties in Amersfoort (inclusief Moskee bezoek in Harderwijk en mijnen prikken op de mijnenschool in Reek), uitrusting halen in Utrecht (plunjebalen vol, waaronder het scherfwerend vest van 12 kg) en brengen naar Soesterberg, bijeenkomsten in Oirschot en Boxmeer en basisschutter Glock diploma behalen op de schietbaan in Ossendrecht. Dit is slechts een kleine groep uit de 'verplaatsingen' en daarnaast vele openbare en enkele vertrouwelijke rapporten over Afghanistan en het rechtssysteem aldaar tot mij genomen (en ook gelezen) en vele deskundigen gesproken. Toevallig, maar bestaat dat wel?, ontmoette ik op een verjaardag de honorair consul van Afghanistan, die mij ook nuttig en uiterst hartelijk heeft gesteund in de voorbereiding.

Mijn missie, als eerste In een reeks van zo'n zeven juristen achter elkaar, is om in de provincie Uruzgan het functioneren van het Afghaanse rechtssysteem te onderzoeken en vervolgens in overleg met ook de ambassade in Kabul te bezien wat wij (de internationale gemeenschap) zouden kunnen bijdragen aan verbetering daarvan. Het mag immers duidelijk zijn dat wanneer onze missie is veiligheid en stabiliteit te creeren dat niet kan zonder dat er een behoorlijk openbaar bestuur en rechtspleging is. Het rechtssysteem in Afghanistan zit bepaald ingewikkelder in elkaar dan bij ons nu dat een combinatie is van statelijk recht, islamitisch recht (de Sharia) en gewoonterecht (dat laatste via conflictoplossing door de stam- en dorpshoofden). Enorm boeiend om daar een nader beeld van te kunnen vormen.

Ik denk - hoop althans- indachtig de wijze lessen van Sun Tzu (alleen met gedegen voorbereiding kan een missie slagen) maximaal voorbereid te zijn en hoop een klein steentje te kunnen bijdragen aan onze missie en nog meer, want daar gaat het uiteindelijk om, aan de wederopbouw van Afghanistan, al zal in dat immense project mijn bijdrage niet meer kunnen zijn dan een paar korrels in de woestijn, insh' allah.

Ik weet nog niet of en wanneer ik vanuit Afghanistan (zal eerst een paar dagen onder de hoede van de Ambassade in Kabul blijven om daarna door te reizen naar onze basis in Uruzgan) kan mailen, maar hoop jullie periodiek verslag te kunnen doen, nadat ik geacclimatiseerd ben (het zal wel een overgang zijn van afgelopen vrijdag het Wienerbal in groot gala naar een week later gewapend in camouflagepak in oorlogsgebied)

Intussen groet ik jullie allemaal hartelijk
8<{)
Gijs

Tarin Kowt, zondag 11 februari 2007

Salaam aleikum, goedendag allemaal,

Wanneer je een half uur na aankomst op het vliegveld van Kabul tijdens je briefing over het halen van je uitrusting en wapen en munitie in de verte een knal hoort, denk je net zoals in Nederland niet direct aan een raketaanval, maar dat was het dus wel. Welkom in Afghanistan, na een comfortabele vlucht met een keurig passagiersvliegtuig van de luchtmacht.

De eerste twee dagen heb ik mogen doorbrengen in het ISAF hoofdkwartier, een immense basis, waar 25 nationaliteiten zitten. De Legad (legal advisor) en de ambassade hadden een mooi programma voor mij samengesteld. Gesprekken met de onderminister van Justitie, een lid van de Supreme Court, een VN adviseur van de Procureur-Generaal, de Afghaanse mensenrecht organisatie, UNAMA (de VN organisatie voor Afghanistan) en een rule of law expert van de Amerikaanse ambassade. Om al die bezoeken af te leggen (samen met iemand van de ambassade en de Legad) ga je met helm, scherfvest en geladen pistool in een gepantserde jeep met bewapende begeleiding (force protection) op pad, of vanuit de ambassade in de ook kogelvrije jeep, maar zonder gewapende begeleiding. Bij alle gesprekken, tot en met de lunch in het luxueuze -en zwaar beveiligde- Serena hotel zit je gewapend aan tafel. Alleen bij de gesprekken op het Ministerie van Justitie en de Supreme Court bleef het wapen in de auto (hoewel ik later hoorde dat ik het eigenlijk gewoon in mijn broekzak had moeten stoppen).

Door het drukke verkeer rijden in Kabul, 3,5 miljoen inwoners is op zich al een belevenis, variërend van geasfalteerde straten met vele winkeltjes tot modderige wegen vol kuilen. Een beeld dat bij blijft is een midden op een modderige weg zittende bedelende vrouw in lichtblauwe burkha met een klein kind, terwijl de auto's haar links en rechts passeren. Het geheel doorzeefde paleis levert ook een angstaanjagende aanblik op. Als je uitstapt (met helm en scherfvest en altijd gewapend) verschijnen er uit het niets niet al te schone kindertjes die 'dollar, dollar' roepen en door de chauffeur weggejaagd worden. Je wordt er bepaald niet vrolijk van en het zal vele jaren duren voordat deze door jaren oorlog en verwoesting geteisterde stad weer de oude grandeur terugkrijgt.

Verder viel ik met mijn neus in de boter: de maandelijkse borrel op de ambassade en wekelijkse borrel in de Nederlandse 'huiskamer' op het hoofdkwartier waarbij in 'keek op de week' verslag wordt gedaan van de gebeurtenissen en de nieuwkomers, waaronder ik, zich voorstellen.

Was het de eerste dagen koud, maar helder weer, vervolgens regen waardoor mijn eerste twee vluchten naar Kandahar in het water vielen. Tenslotte met een avondvlucht met de generaal en enkele officieren van de Inspecteur Generaal van de Krijgsmacht in een Hercules in het pikkedonker, zowel binnen als buiten, in de netjes als haringen in een ton, met scherfvest/helm/pistool de lucht in. Ook in Kandahar regen en alles de bruine blubber.

Het is iedere keer weer spannend of je met 'maybe airlines' kunt vliegen, maar gelukkig zaterdagochtend met de helicopter, weer als haringen in een ton met scherfvest/helm etc, met open deuren met boordschutters (alleen de muziek van tour of duty ontbrak er nog maar aan) naar eindbestemming Tarin Kowt. Prachtige vlucht, soms laag over de de woestijn, dan weer hoog tussen de besneeuwde bergtoppen.

Ik ben dus nu in Kamp Holland en heb in het PRT (Provincial Reconstruction Team) inmiddels mijn 'kantoor', een container delend met twee andere Nederlandse functioneel specialisten en een Australische. Alles speelt zich af in straten van aan elkaar gebouwde containers. Ook de slaapgebouwen, waar ik een container deel met twee marechaussees.

Het kamp is onverlicht (veiligheid) dus 's-avonds in het donker is het -met lichtje op het hoofd en knijpkat- een hele kunst om je slaapplaats terug te vinden, maar dat lukte (uiteindelijk).

Vandaag, zondag, wordt ook - zij het op een lager pitje- gewerkt; vanochtend vroeg ging al een lange kolonne voertuigen de poort uit om ergens in actie te komen. Wij zijn nu eenmaal in een oorlogsgebied. De wederopbouw, waar het PRT zich met vier missieteams en een aantal functioneel specialisten mee bezighoudt is een lang proces van vele kleine en grote operaties en het zorgen voor een functionerend rechtssysteem is daar een onderdeel van. Er is voor mij heel veel werk aan de winkel! Morgen begint het echte werk met om 06.00 opstaan en dagelijkse briefing om 07.30 uur. Hopelijk komen dan ook mijn twee plunjebalen volgende week aan want zolangzamerhand zit ik geheel onder de modder.

Voor degenen die dat hadden gevraagd, mijn postadres hier is:

Majoor Gijs Scholtens, 1 NLD PRT ISAF 2, NAPO 115, 3509 VP Utrecht

Hartelijke groet
8<{)
Gijs

Het begin van 100 dagen missie

Met de KDC-10 van Eindhoven naar Kabul

Uitgezwaaid door Bosnië-veteraan dochter Hilleke

Op KAIA (Kabul Military Airfield) met opleidingsgenoot uit Amersfoort

KAF (Kandahar Airfield) in de regen

The Dutch Corner op KAF

*Met Contco Bgen
Scheffer en C-TFU
kol van Griensven
op KAF*

*RCS (Regional Com-
mand South)op KAF*

*RCS met NATO- en
Afghaanse vlaggen,
KAF*

de ANA (Afghan National Army) in pickups

Tarin Kowt, zondag 18 februari 2007

Salaam aleikum, goedenmorgen allemaal,

De patrouille die ik vorige week zondagochtend zag uitrijden (Afghaanse leger in pickups vergezeld van Nederlandse pantserwagens) is, zoals jullie ook in de Nederlandse kranten hebben kunnen lezen, in actie geweest, waarbij Afghaanse soldaten/politiemannen zijn gesneuveld. Zo is er bijna iedere dag hier in de omgeving wel een TIC (Troops in contact).

Het is hier dus inderdaad een oorlogsgebied. Van minister Kamp, bij wie ik mijn opwachting maakte toen hij afgelopen week hier op afscheidstournee was, mocht ik dat zo niet zien. Weliswaar zijn wij hier voor de wederopbouw, maar de strijd van de Taliban tegen de regering, waarbij wij steun verlenen aan de regering, kan ik toch moeilijk anders zien dan (burger)oorlog. Kamp was zo vriendelijk de aanwezige batterij journalisten al te wijzen op mijn aanwezigheid, maar het was nog te vroeg om enige nuttige mededeling aan de pers te doen.

Ik maak hier deel uit van het PRT (het Provinciaal Reconstructie Team), bestaande uit zo'n 60 mensen. Het is ongelofelijk, hoe ondanks alle moeilijke omstandigheden, hier een paar honderd kleine en grote projecten voor de bevolking van de grond worden getild. De vier missieteams die iedere dag op pad zijn doen geweldig goed werk, en leveren wel degelijk een bijdrage aan de wederopbouw. Daar zou in de pers best wat meer aandacht aan besteed mogen worden in plaats van aan alle TIC's.

Op zich is het hier goed toeven in het kamp. Al mijn plunjebalen zijn inmiddels gearriveerd en met afvalhout en lege munitiekistjes ben ik langzamerhand bezig mijn kantooromgeving te vervolmaken. Door sommigen word ik al aangeduid als "Sil de strandjutter', want na iedere wandeling door het (immens grote kamp) kom ik wel weer met iets "nuttigs' terug, variërend van ijzerdraad om een kapstokhaak van te maken tot een lege telefoonkabelhaspel die buiten als terrastafel dienst doet.

Het eten is uitstekend; je kunt zo gezond of ongezond eten als je zelf wilt en ik begin iedere morgen braaf met een bord stevige havermout en eet zelfs naast chocoladetaart ook twee keer per dag verse sla! Van het feit dat het kamp geheel is drooggelegd heb ik geen last .

Iedereen maakt hier lange dagen. Eerste briefing in PRT om 07.30 (alle briefings in het engels, want er zijn ook Australiërs en Amerikanen bij) en 's-avonds de afsluitende briefing om 18.30, waarna iedereen weer aan het werk gaat tot 20.00 - 21.00 uur (rapportages schrijven, briefings voorbereiden, ook alles in het engels, op beveiligde computers). Tussendoor overdag natuurlijk wel regelmatig buiten in de warme zon zitten roken met thee/koffie, maar ook dan veel shoptalk. Net zoals ik vroeger op kantoor gewend was: er wordt hard gewerkt maar ook veel gelachen en ik voel me hier na een week al echt thuis.

Inmiddels ben ik ook stevig verkouden geweest, maar dat hoort er hier in het begin bij ('T.K.disease'), door de grote temperatuurverschillen en, als het droog is het fijne stof, dat overal in gaat zitten. Terwijl iedereen overdag in de warme zon al met opgerolde mouwen liep, was ik nog bibberig in trui, buitenjas en wollen muts, maar gelukkig ben ik nu geacclimatiseerd.

Mijn missie loopt sneller dan ik had verwacht want deze week heb ik al uitvoerige gesprekken kunnen voeren met de President van de Rechtbank en de Hoofdofficier van Justitie. Die haal je dan, met je scherfvest en pistool, op bij de buitenste poort, die wordt bewaakt door het Afghaanse leger. Vervolgens loop je richting kamp waar, na fouillering (ook een President van de Rechtbank moet dat ondergaan) de gasten worden ontvangen in het in januari door minister van Ardenne geopende PRT-huis (dan wel scherfvest af, maar pistool altijd bij je). Dat PRT-huis staat, om veiligheidsredenen, nog steeds buiten het eigenlijke kamp. De hoge gasten worden in het PRT-huis ontvangen in de Afghaanse zaal, geheel in stijl met kussens en grote fauteuils en -veel- groene thee. Die twee gesprekken (langer dan mijn standaard uur van vroeger!), vanzelfsprekend met een tolk, afgelopen week gaven mij al een behoorlijke indruk van de stand van zaken van de rechtspleging hier, en nu moet ik zien e.e.a ook met eigen ogen te mogen aanschouwen. Dat wordt wat ingewikkelder want dan moet ik met force protection de poort uit, maar dat komt ook wel.

Veiligheid staat hier hoog in het vaandel. Alle mensen van het PRT hebben hun achternaambordjes vervangen -en ik dus nu ook- door alleen hun voornaam, want de Taliban kan ook op internet googlen. In tegenstelling tot de engelssprekenden hebben de Afghanen geen moeite met het uitspreken van mijn voornaam, dus ik ga hier verder door het leven als Major Gijs.

Jullie allemaal dank voor jullie aanmoedigende emails. Ik beantwoord die niet individueel, want vanaf mijn werkplek met drie computers (mijn eigen computer, mission secret rode computer, en gewone defensie zwarte computer) kan ik maar af en toe en zeer traag emailen, zodat ik mij beperk tot deze wekelijkse email die met een ingewikkelde hinkstapsprong van mijn eigen computer overgezet wordt op de defensie computer en dan als het lukt verzonden wordt.

Ik was vanochtend vergeten dat op zondag slechts voor 0700 uur ontbeten of na 0900 uur gebruncht kan worden dus typ dit nu met lege maag om 8 uur 's ochtends terwijl prettige 60-jaren muziek (house of the rising sun) schalt uit de computer van mijn Australische collega, die ons de hele dag van achtergrondmuziek voorziet, ook al is hij er zelf niet.

Nu goed ontbeten met roerei en zalm. Sofar so good. vandaag slechts een enkele briefing.

Hartelijke groet
8<{)
Gijs

de collega functioneel specialisten

Er wordt voortdurend gebouwd op het kamp

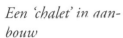

Een 'chalet' in aan-bouw

Tussen de 'slaapcha-lets' toilet/ douche gebouw

Bij acties de vorige dag waren doden te betreuren

De eetzaal

*Onze pantservoer-
tuigen 1: de Nyala*

*Onze pantservoer-
tuigen 2: de Patria*

*Onze pantservoertui-
gen 3: de Bushmaster*

*Amerikaanse
Hummer*

*Mijn werkplek wordt
opgebouwd*

Het PCC (Provinciaal Coordinatie Centrum politie)

De dagelijkse colonne op weg naar de poort

De voorpoort met uitzicht op Tarin Kowt

Afghaans wachthuisje bij de voorpoort

De wekelijkse bazaar op Kamp Holland

Eerste ontmoeting met de hoofdofficier van justitie in het PRT-huis

Overleg met Polad en Ostad (tribaal adviseur)

Eerste ontmoeting met president van de rechtbank in PRT huis

Mijn boekenkast van plankjes en munitiekistjes

De gang in het PRT-chalet

'office' van de functioneel specialisten

Mijn kapstok

Aan het werk (met muts op want het was nog koud)

Het bureaublad van de defensie computer

Een regenachtige dag

Zwaar materieel

Slechts één bloemetje te zien

60

Tarin Kowt, zondag 25 februari 2007

Salaam aleikum, goedenmiddag allemaal,

Voor mijn vertrek uit Nederland vertelde ik iedereen dat wanneer ik hier de poort uit zou gaan, dat geschiedde in een gepantserd voertuig met chauffeur, tolk en een man of twee als beveiliging (force protection). Zo was het ook in Kabul, maar toen ik deze week gebriefd werd over mijn voorgenomen bezoek aan de stad Tarin Kowt, bleek dat daarvoor opgelijnd werden een Patria (een groot pantservoertuig waar 10 man in kunnen) en vier zwaar bewapende jeeps met in totaal een force protection van 20 man. Ik was daar in meerdere opzichten wel even stil van. Dat alles voor mij alleen (samen met een tolk en nog iemand van een van de missieteams) voor een sightseeing tour in de stad, omdat ik alles met eigen ogen wil zien.

Aldus geschiedde. In de Patria niet alleen met helm, scherfvest en wapen, maar ook nog met, wat ik in mijn onschuld dacht een zonnebril te zijn, scherfwerende bril. Uitzicht slechts door de kleine, pantserglas, spleetjes in zijkanten van de Patria, zodat ik niet veel van de -overigens prachtige- omgeving heb kunnen zien. Op de heen en terugweg heeft mijn kolonne slechts drie keer vuur behoeven af te geven (waarschuwingsschoten) wanneer auto's of motoren te dichtbij kwamen. De bevolking hier weet dat men niet een konvooi mag kruisen en op een bepaalde afstand moet blijven. Better safe than sorry (wij dus), want veiligheid eigen troepen gaat voor alles. En dan te bedenken dat dit het gebied is dat wij onder 'controle' hebben. Dan kun je je wel voorstellen hoe het buiten dat gebied is.

Op de plaats van bestemming aangekomen vormen de jeeps een veiligheidscordon, waarna ik met mijn beveiligers (close protection) te voet mag.

Ik kan er niets aan doen, maar het zijn echt de beelden uit Full Metal Jacket, Tour of Duty en alle andere Vietnam films. (ook overigens de regen die afgelopen dagen alles weer veranderde in de rode blubber van Hamburger Hill; deze dag was het trouwens weer prachtig weer).

Over mijn middagje bezoek aan Tarin Kowt kan ik bladzijden volschrijven, maar beperk me nu maar tot het volgende. Bezoek aan rechtbank, hoofdbureau van politie en gevangenis; het gebouw van het openbaar ministerie konden we jammer genoeg niet vinden. Vooral bezoek aan de cellen in het politiebureau (waar je je hond nog geen halve dag in zou willen achterlaten) en de gevangenis (eerder iets uit de romeinse tijd dan de middeleeuwen) hebben een onuitwisbare indruk op mij gemaakt. Over de sanitaire voorzieningen zal ik maar helemaal niets zeggen. Alles heeft zijn voor en zijn tegen; naar ik mij heb laten vertellen willen sommige gevangenen de gevangenis niet uit omdat zij dan hun leven niet zeker zijn in verband met bloedwraak. Een gewonde agent op het politiebureau (met een gebroken been) kon ik blij maken met een paar paracetamollen. Lastig bij alle bezoeken aan de hoogwaardigheidsbekleders is dat je telkens je woestijnboots uit moet doen (maar je scherfvest aan moet houden).Ik had na terugkeer in ons Hollandse Kamp wel even wat tijd nodig om deze, ondanks alle voorbereiding, kennismaking met de dagelijkse werkelijkheid in Uruzgan, te verwerken. Vervolgens weer hier in de eetzaal zitten en dineren met boerenkoolstamppot met worst, is dan tegenstrijdigheid ten top.

hartelijke groet
8<{))
majoor Gijs

Weer rijdt een colonne uit

*De modder droogt ge-
lukkig op in dezelfde
kleur als de woestijn-
boots*

*Het klaart weer een
beetje op*

63

Met de Patria naar tarin Kowet

Vanzelfsprekend met force protection

Voor vertrek wapens testen opde schiet-baan

De rechtbank in Ta-rin Kowt

Kennismaking met een van de rechters

Terug naar de Patria

De MB's houden de wacht

Altijd nieuwsgierige kinderen

bezoek aan commandant ANP (Afghan National Police)

*Het politie hoofdkwar-
tier in Tarin Kowt*

.. met de politiecel

*De voormalige huizen
van de rechters*

Iedereen weet dat je afstand moet houden van een militaire kolonne

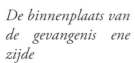

De binnenplaats van de gevangenis ene zijde

De binnenplaats van de gevangenis andere zijde

Kennismaking met de hoofdcipier

In de Patria

Op de terugweg, force protectie bovenluiks

Force protectie benedenluiks

Ons proef papaver
veldje (niet opgeko-
men)

Moskee in aanbouw
in het ANA-kamp

Het ANA-kamp op Kamp Holland

De (lege) militaire gevangenis in het ANA-kamp

Een Russisch wrak tussen binnen- en buitenring

*Wapenonderhoud in
onze briefingroom*

De burnpit in Kamp Holland

Tarin Kowt, zondag 4 maart 2007

Salaam aleikum, goedendag allen,

Iedereen hartelijk dank voor de meelevende emails en zowaar de eerste post.

Inmiddels kan ik met een usb-stick vanaf mijn computer ook in de voor algemeen gebruik bestemde internetruimte wat gemakkelijker mijn emails lezen en beantwoorden.

vandaag dus even niet want het netwerk lag eruit. Overigens is mijn computer gecrashed en waren alle bestanden en foto's weg (gelukkig stonden de belangrijkste bestanden ook op de rode 'mission secret' computer en mijn foto's allemaal nog in de camera zelf), maar je voelt je wel ongelukkig, hoewel zoiets een luxeprobleem is in Afghanistan, waar de bevolking slechts een paar uur electriciteit per dag heeft.

Aan het einde van de gang zit echter een echte helpdesk met vriendelijke militairen die een groot deel van hun tijd besteden aan het repareren van privé computers, dus een groot deel van mijn computer werkt weer.

Deze week liep het ook overigens allemaal anders dan gepland, maar dat is hier ook gewoon.

De bedoeling was dat ik een paar dagen op onze basis in Deh Rawod zou doorbrengen, maar de helicopter bleek in plaats van om 1200 uur al om 0800 uur te vertrekken. Met een aantal ook op het laatste moment ingelichte medepassagiers met volle bepakking in een jeep naar het helivliegveld racend zagen we de helicopter voor onze neus vertrekken nog weer een kwartier eerder dan gepland. Het moge duidelijk zijn waarom de luchtverbindingen hier 'maybe airlines' worden genoemd want het is altijd anders –meestal door het weer– dan aanvankelijk gepland. Niemand windt zich daarover op, want dat helpt toch niet.

Dus maar ingelast nog een keertje naar de gevangenis hier. Dit keer niet met de Nederlandse force protection, maar met de Amerikanen van

Dyncorp. Dat is een private onderneming die in opdracht van het U.S. State Department van alles hier doet, zoals het trainen, bewapenen en betalen van de Afghaanse politie. Het zijn burgers in trainingspakken met zonnebrillen en machinepistolen, voor het merendeel oud-militairen en –politiemensen. Zij rijden in gepantserde pickups bijgestaan door Roemeense beveiligers. Het gaat er wat minder formeel maar zeker niet minder professioneel aan toe dan het militaire gebeuren. Nu dus in twee van die pickups de stad in (wel natuurlijk met onvermijdelijke scherfvest, helm, wapen en deze keer lichtje op het hoofd omdat ik ondergronds ging, zie hierna) door de drukke schilderachtige winkelstraatjes van Tarin Kowt, die ik nu eens goed kon zien. Ik zou zo graag daar een middagje willen rondlopen, maar dat is echt uitgesloten.

In de gevangenis nu ook de slaapverblijven van de gevangenen gezien, o.a.13 slaapmatjes in een ruimte van 2x7m in een hol onder de grond. Veel nuttig werk voor ons te doen .

Wat verder opvalt is dat er voortdurend bezoek uit Nederland of Kabul is en ik regelmatig bekenden tegenkom. Een generaal die ik op 2 februari nog op het Wienerbal gesproken had, een mij onbekende generaal die op zijn lijstje had staan dat hij mij moest spreken, hetgeen nog net lukte terwijl hij weer naar de jeep liep die hem naar het vliegtuig moest brengen, een ambtenarenmissie uit den Haag, waaronder een van de dames die mij hadden gebriefd voor mijn vertrek enz. Jammer genoeg mocht ik mijn Leidse tijdgenoot Jaap de Hoop Scheffer niet spreken, omdat hij maar een uur hier was en zelfs mijn argument dat ik toch als kampoudste (want dat zal ik wel zijn van al die 1500 mensen hier) met een vlaggetje aan de vliegtuigtrap moest staan, kon de commandant niet vermurwen.

Hoe langer ik hier ben, hoe meer het mij hier aan kantoor vroeger doet denken. De 'werkchalets' zijn in feite een lange gang, weliswaar van beton, met aan beide zijden een rij kamers (de containers). Het is de hele dag een in- en uitgeloop en in de pantry in de gang staat een koffie/thee/soepmachine (naast de schoonmaakspullen voor de wapens). In plaats van het trappenhuis aan de uiteinden is daar een soort halletje waar je links en rechts naar buiten kunt.

Ook hier wordt omdat in de 'kamers' niet gerookt mag worden om de haverklap buiten even gerookt en koffie/thee gedronken. De lunch roept hier ook herinneringen op: iedere dag wel een frikandel of sauzijzenbroodje of een andere lekkere snack. Alleen de kantoorborrel ontbreekt (gezien de drooglegging) er nog maar aan.

Zo langzamerhand durft ook iedereen in mijn omgeving me wel met mijn voornaam aan te spreken in plaats van met 'majoor' (zonder achternaam).

Stenigen gebeurt in Afghanistan gelukkig niet meer, behalve hier op het kamp zelf. Wanneer iemand de Dixie (het wc-huisje) naast ons 'terras' bezoekt kan het voorkomen dat hij door de aanwezige terraszitters bekogeld wordt (de Dixie wel te verstaan) met ons zware grint. Als je binnen zit maakt dat een oorverdovend lawaai en een enkele vreemdeling (militair van een andere eenheid) die van 'onze' Dixie gebruik maakt kan dat niet altijd waarderen. Zo zie je maar dat tussen alle serieuze zaken er ook nog al of niet flauwe grappen gemaakt worden (De commandant sprak mij laatst aan met 'jongeman').

Tenslotte maar weer een tegenstrijdigheid: als het 's nachts helder is heb je hier omdat er in de verre omtrek nauwelijks licht is de mooiste sterrenhemel die je je maar kunt voorstellen. Terwijl je daar ademloos naar staat te kijken jankt er af en toe een granaat van ons zware geschut over je hoofd heen om 20 km verder op, al of niet met een lichtkogel, een actie te ondersteunen. De volgende dag openen we dan weer ergens een kinderspeelplaats tot vreugde van de bevolking.

Kortom, all is well, ik heb het hier zeer naar mijn zin en denk dat ik hier ook nuttig werk doe en kan doen. Inhoudelijk zeg ik daar allemaal niet veel over (classified information) en dus bevatten mijn emails ook geen, zoals dat heet, missiegevoelige informatie. Het staat iedereen dan ook vrij om deze wekelijkse email aan andere belangstellenden door te zenden en ik heb ook al regelmatig mensen op hun verzoek op de verzendlijst bijgeplaatst.

Tot volgende week, insh'allah
8<{))
Gijs

Bezoek van ambtelijke anti-drugs missie

Met bezoekster op de foto

Ingeleverd wapentuig

Nog meer ingeleverd wapentuig

Ook alle bezoekers willen met een RPG op de foto

.. maar ik ook

En als actiefoto

*Een toilet/douchege-
bouw in aanbouw*

Gereed voor vernietiging

Een gevangenenbewaarder

het slaapkwartier van de gevangenen

Wederom de binnenplaats van de gevangenis in TK

Buitenmuur van de gevangenis

Gerepareerde buitenmuur gevangenis

De plaatselijke politie

Hoofdkwartier van voormalige Highway Police

Met de Roemeense beveiligers van Dyncorp

De (gepantserde) pickups van Dyncorp

Overleg met Dyncorp

De chinese Dixie-rei-niger

Onze peukenbak voor de ingang van het PRT-chalet

Wegwerkersvoertuigen

Nog meer zwaar materieel

En hoge kraanwagens

Rupsvoertuig van de battlegroup

Rupsvoertuigen van de batllegroup

Rupsvoertuigen van de batllegroup

De Bushmaster

Barbeque bij ht PRT-huis

Na afloop uitbuiken in de Afghaanse zaal in het PRT-huis

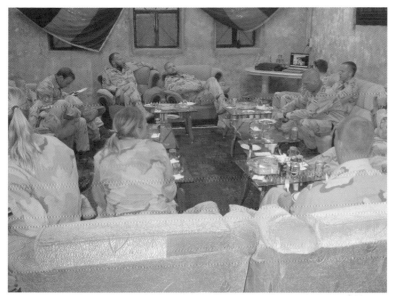

Of gewoon op de stoelen

Quiz-avond PRT2 (team 3!)

Diner met het winnende quizteam in de Echo's

Tarin Kowt, zondag 11 maart 2007

Salaam Aleikum, goedendag allemaal,

Het was mij een weekje wel. Nu toch een paar dagen naar onze basis in
Deh Rawod. Een kleinere en strak opgebouwde basis in een landelijk gebied, een groene (of het papaver was kon ik niet zien, maar ongetwijfeld
een gedeelte wel) vallei tussen hoge bergen met zich scherp tegen de lucht
aftekenende kammen. Het straalde een grote mate van vredigheid uit,
maar schijn bedriegt hier. Als je 's-middags in de zon zit (natuurlijk maar
eventjes tussen het werken door) en de sirene boven je hoofd gaat loeien,
weet je weer waar je bent. In dit geval alleen proefvuur van een van de
twee pantserhowitsers. Die staan daar vlak buiten de verdedigingswal en
van daaruit met oordoppen in kun je volgen hoe 20 of meer km verder
over alle dorpen heen de lichtkogel ontbrandt op een kale berghelling.
Een feeeriek gezicht van hieruit, maar aan de ontvangende kant een wat
minder genoegen ongetwijfeld.

   Op de terugweg was het eerst twee uur in de brandende zon wachten
op een kale vlakte die als heliveld dienst doet. Je zit dan met volle bepakking en bagage te wachten op de heli's en in je scherfvest en helm en met
meer dan 40 graden celsius voel je je net een spiegelei dat op een rots
wordt gebakken. Wanneer de twee heli's vlakbij landen wordt je in een
enorme stofwolk bijna weggeblazen. De heli's blijven draaien terwijl de
aankomers uitstappen en de vertrekkers meteen daarna instappen en weg
zijn ze weer. Op de terugweg zat ik naast de boordschutter voor de open
deur met dus prachtig uitzicht.

   Verder deze week weer diverse gesprekken met hoogwaardigheidsbekleders. Bij een bespreking in het PRT huis bracht mijn gesprekspartner
zijn zoontje van een jaar of acht mee, die braaf drie uur lang aan een bu-
reautje heeft zitten tekenen. Ook weer een keer voor een vergadering de
stad in, nu met een Niala (hoge gepantserde voertuigen uit Zuid-Afrika)

met gepantserde ramen. Daardoor kon ik nu goed zien hoe door de twee jeeps voor en de twee jeeps achter de weg voor ons werd schoongeveegd en al het verkeer in de berm moest halt houden, zo ongeveer als president Bush door Washington rijdt. Allemaal gelukkig weer goed gegaan en veilig thuisgekomen.

Het leven op het kamp is vol van kleine handigheidjes die je in de loop van de tijd moet leren.

De keurige douche- en toiletruimtes zijn in aparte gebouwtjes tussen de slaap´chalets´ in. Dus ´s-avonds niet te veel thee drinken voor het slapen gaan, want ´s-nachts slaapdronken in de vrieskou (in februari, nu is het wat minder koud) in het donker over de hobbelige kiezels naar de w.c. moeten is geen pretje. Dus ook niet meer ´s-ochtends om 06.00 uur onder de douche, maar overdag als de zon schijnt. Er zijn geen aparte voorzieningen voor dames en heren. In het begin keek ik er wel even van op wanneer ik nog slaperig in mijn legergroene pyjama in alle vroegte mijn tanden stond te poetsen en er uit de douche naast mij een mij al of niet bekende dame zich decent aan de wasbak naast mij voegde.

Het enige waar het mij aan ontbreekt is een nette Afghaanse medewerkster en secretaresse, want al mijn gespreksnotities en rapporten moet ik zelf maken en typen, want vrouwen mogen in Uruzgan niet buitenshuis werken en van rijkswege worden geen medewerksters en secretaressen verstrekt.

Het blijft het natuurlijk een ongekende luxe dat het van je veilig gepantserde `huis` naar je evenzo veilig gepantserde `kantoor` slechts vijf minuten lopen is, dat er drie keer per dag voor je wordt gekookt, je nooit hoeft af te wassen, je was wordt gedaan, je geen boodschappen behoeft te doen (behalve sigaretten) en meestal de zon schijnt. Kortom het leven is hier goed en zeker zo lang wij hier nuttig werk kunnen doen.

Wat nuttig werk betreft, vandaag een bijzondere gebeurtenis. Hier op het kamp wordt op zondag een gezamenlijke kerkdienst gehouden door een Australische en een Nederlandse dominee. Bijzonder was de aanwezigheid van de Mullah directeur van de afdeling Hadj en religie van Uruzgan samen met twee gesluierde (d.w.z wel met onbedekte ogen) Afghaanse onderwijzeressen. Deze Mullah is zeer vooruitstrevend en heeft een school voor vrouwen opgezet en wilde graag ook eens een christelijke gebedsdienst bijwonen. Voor de school, die niets heeft, stellen wij nu materiaal ter beschikking, van schriften en pennen tot –en daar kom ik in beeld- instructieve boekjes over mensenrechten en met name de rechten van de vrouw. Immers in het bewerkstelligen van 'the rule of law' is het ook uitdragen in Uruzgan van de in de Afghaanse grondwet verankerde gelijkheid van mannen en vrouwen een wezenlijk onderdeel. Een mullah en een gesluierde Afghaanse vrouw tijdens een christelijke dienst een kaarsje zien aansteken vond ik een roerend moment, want dat gaf aan dat er hier ook mensen zijn die openminded zijn en echt vooruit willen. Voor mij overigens voor het eerst sinds mensenheugenis een kerkdienst bijgewoond, zo maak je dus van alles mee.

Tot volgende week, insh´allah
8<{))
Gijs

De landingsplaats in Deh Rawod

De helicopter vertrekt weer snel

Kamp Hadrian Deh Rawod

Even sporten met de boksbal

En vervolgens geheel uitgeput

De pantserhowitsers in Kamp Hadrian

Plechtig op de foto in Kamp Hadrian

Bezoekers worden bij de poort gefouilleerd in Kamp Hadrian

Kamp Hadrian, bergen in de verte

De detectiepoort in Kamp Hadrian

Het alarm gaat af

Pantserhowistser klaar om te vuren

Vuur!!

De (oefen)granaat van onze pantserhowitser slaat in.

*De helicopter landt bij
Kamp Hadrian*

*Naast de boordschut-
ter terug*

de 'Halo' vrachthe-licopter in Kamp Hadrian

Het helicoptervliegveld in Kamp Holland

Terug in Kamp Hol-land

Colonne gereed voor vertrek naar Tarin Kowt

De ingang van de governors compound in TK

Voertuigen houden de wacht

*Op weg naar de gou-
verneur*

*Ook zelf zware arbeid verrichten
op het kamp*

*Met opvolgers is het af en toe vol op
kantoor*

De hoofdofficier van justitie met zijn zoon

Overleg met directeur Hadj en religie in PRT-huis

De directeur Hadj en religie woont kerkdienst in het kamp bij

Australisch/nederlandse kerkdienst in Kamp Holland

Ook de directeur Hadj en religie brandt een kaarsje

De functioneel specialisten

Tarin Kowt, zondag 18 maart 2007

Salaam Alcikum, goedendag allemaal.

Taso tsjenge yast? Sje yem, manama.

Ofwel de eerste te leren zin in Pashtu, `hoe gaat het met u? goed, dank u.`

Het Is een moeilijke taal en door de altijd aanwezigheid van een Nederlands- of Engels/Afghaanse tolk kom je ook niet echt aan het leren van de taal toe. Een van de tolken heeft nu aangeboden volgende maand met een cursus te beginnen en ik doe zeker mee.

In de eerste plaats iedereen wederom hartelijk dank voor alle emails en excuus dat ik ze niet allemaal individueel beantwoord, maar ik ontvang en lees ze graag. Het is echter nog steeds een gehannes om emails te versturen. Filmpjes en foto's kun je me ook beter niet sturen want dat kan de defensie secret machine met alle beveiligingen op mijn werkplek echt niet aan.

Het is hier een drukte van belang door het in- en uitroteren en HOTO, de militaire termen voor aflossing en handover/takeover aan de opvolgers. Het hele PRT (provinciaal reconstructie team) wordt na vier maanden uitzending vervangen door een nieuwe ploeg (en dat geldt ook voor een aantal andere eenheden) zodat er in een paar weken tijd enkele honderden militairen gewisseld moeten worden. Dat lijkt eenvoudiger dan het is, want door (veel) weers- en (soms) technische omstandigheden loopt het schema voortdurend in de war. De mensen hier kunnen pas weg nadat hun opvolgers zijn aangekomen en de HOTO heeft plaatsgevonden en het komt dan ook regelmatig voor dat mensen hartelijk afscheid nemen en na enkele uren met hun bepakking al of niet opgewekt weer terugkomen van de vliegstrip omdat er niet gevlogen kan worden. Dat kun je hier niet altijd zien, want ook al is het mooi weer, kunnen ergens op het traject de wolken tussen de bergen het voor de heli´s onmogelijk maken. Het is dan onzeker of het morgen of wanneer dan ook de komende dagen wordt. Voor de dierbaren thuis in Nederland ook weer een domper, maar zo is nu eenmaal het soldatenleven.

Omdat afgelopen week het PRT in de huidige samenstelling voor het laatst compleet was werden met ceremonieel (gevolgd door een goed Afghaanse lunch) de Nato medailles uitgereikt voor het dienstdoen tijdens de ISAF operatie. Die krijgt iedereen die gedurende meer dan 30 dagen in het uitzendgebied is geweest, dus (how time flies) ik ook. Aangezien ik als een van de weinigen van de oude ploeg achterblijf heb ik het geheel toegesproken en nog een keer uitgelegd (wat nog steeds voor velen onbegrijpelijk is) hoe iemand met een aardige carriere achter zich op mijn leeftijd nog in het stof of de blubber van Afghanistan druk wil maken. Met de voor de hand liggende vergelijking van ook (oud)advocaten zijn krijgers heb ik een van de laatste exemplaren van Sun Tzu´s krijgskunst voor advocaten (ook de tweede druk is nu uitverkocht maar SDU was zo vriendelijk mij hier de laatste archiefexemplaren te zenden) aan de commandant aangeboden. Iedereen verbaast zich vervolgens over mijn nette foto achterop vergeleken met mijn nu wat wildere aanblik.

Deze week ook weer allemaal gesprekken en voor het eerst de mullah (geestelijken) shura (vergadering) in de stad bijgewoond. Deze keer in kolonne met force protection van het Afghaanse leger in open pickups met grote machinegeweren bemand door zeer krijgshaftig uitziende soldaten. Tijdens de shura zitten de aanwezigen op de grond en ook al kon ik de discussie op dat moment niet direct volgen was heel duidelijk te zien hoe via het consensumodel er uiteindelijk een beslissing kwam over het onderwerp van de discussie (de plaats en wijze van viering van het Islamitische nieuwjaar). Toen vervolgens het gesprek met onze dominee ging over de verschillen tussen Christendom en Islam heb ik ook nog maar als wijze baard de duit in het zakje gedaan dat verschillen zorgen voor verdeeldheid tussen mensen en dat belangrijker zijn de overeenkomsten die mensen juist binden. Dat viel geloof ik wel in goede aarde. De reden voor mijn aanwezigheid in dit illustere gezelschap was dat de mullah´s als geestelijke leiders van oudsher een rol spelen in de informele conflictoplossing en daar hoop ik dan ook een volgende shura over van gedachten te kunnen wisselen.

In de krant hebben jullie kunnen lezen over de diverse operaties (Achilles) die aan de gang zijn. Ik heb daar natuurlijk niets over te melden, maar volsta met te vermelden dat ik tijdens mijn hierboven genoemde toespraakje mijn grote ontzag heb uitgesproken voor al die mannen en vrouwen van de militaire missieteams en hun chauffeurs en schutters die iedere dag maar weer op pad gaan in de provincie om kleine en grote wederopbouwprojecten te doen. Zij hebben allemaal tijdens hun uitzending wel een keer in een TIC (troops in contact, d.w.z in vuurgevecht zijn verwikkeld) gezeten en sommigen zelfs zes keer. Dat is nog eens heel andere koek dan de veilige omgeving van een gepantserd kantoor waarin ik het grootste deel van mijn tijd doorbreng.

Tot volgende week. In Nederland breekt de lente aan en hier het nieuwe jaar.

Hartelijke groet
8<{))
Gijs

Met de Kon. Marechausse op pad

Afghaanse wachtpost op de buitenring

De achterpoort van kamp Holland

Lokale werklieden wachten bij de achterpoort

ANAP-rekruten wachtend op hun training

Politiecommandant en mullah bij de ANAP-training

De containerkraan had panne

CIMIC (Civil Military Cooperation)

ANA-pickup met waar-schuwingsbord

Naar Tarin Kowt

De weg wordt schoon-geveegd

Straatbeeld in Tarin Kowt

Winkeltjes in Tarin Kowt

Force protectie bij bezoek aan het ziekenhuis in TK

Kinderen in de tuin van het ziekenhuis is TK

Kinderen in de tuin van het ziekenhuis is TK

Overleg met officier van justitie en Legad

De postauto

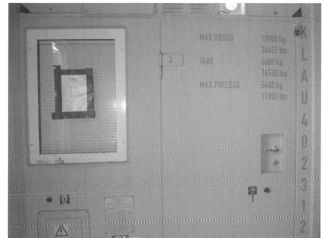

De deur van mijn slaapvertrek

Delend met twee oppers van de Kon Marechausse

De mieren maken keurige hopen

Iedere eenheid zijn eigen kapper

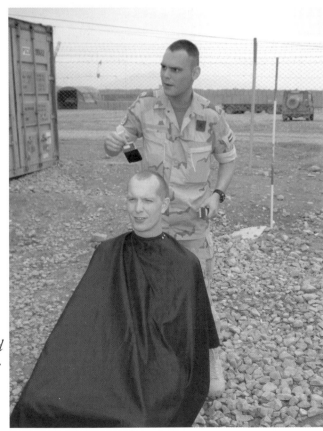

Toespraak bij NATO-medaille uitreiking van PRT2
14 maart 2007

'Overste, dames en heren van 11tankbat en Kmar. Nu wij hier voor het laatst bijeen zijn in volle bezetting voordat u uitroteert wil ik iets zeggen over de bejegening en samenwerking welke mij de afgelopen 5 weken ten deel is gevallen.

Als je als PRT eenheid hier al een paar maanden zit en echt een team vormt komt er op een regenachtige zaterdagmiddag opeens een wat oudere meneer met een wit baardje en een te grote dienstbril. Dat was in het begin voor iedereen van u wel even wennen en misschien voor sommigen van u nog steeds en regelmatig kwam de vraag: wat bezielt nu iemand die een mooie carriere als advocaat firmant op het grootste Nederlandse advocatenkantoor achter de rug heeft, zijn schaapjes waarschijnlijk op het droge heeft en geridderd is door Hare majesteit, om op een leeftijd waarop ieder normaal mens de krijgsmacht heeft verlaten, zich op de KMA de klimtoren in te laten jagen (gva) en dan af te reizen naar het stof en de bagger van Uruzgan? Ik zie de Contingentscommandant brigade generaal Scheffer, bij wie ik enkele dagen in Kabul te gast mocht zijn en hem later hier in de bagger tegenkwam nog zijn hoofd daarover schudden.

Ik leg het nog een keer uit. Het antwoord is eenvoudig: advocaten en militairen hebben veel gemeen:
- advocaten gebruikelijke onbegrijpelijke taal; brief aan turkse echtscheidingscliente: geachte mevrouw, in vouwe dezes gaat het convenant, ofwel, hierbij het contract. Militairen doen alles in onbegrijpelijke afkortingen: cstic-a, kan ik nog steeds niet over mijn lippen krijgen.
- advocaten maken lange dagen van 0730-2130 en ook hier gebeurt dat op dezelfde manier: er wordt hard gewerkt maar ook veel gelachen

- het belangrijkste is dat advocaten en militair allebei krijgers zijn. Soldaten met de wapens en advocaten met het geschreven en gesproken woord, dat ook dodelijk kan zijn.

Tenslotte de bejegening en samenwerking. Binnen 2 dagen was ik ontdaan van mijn FS badge, mijn Cimic armband en zelfs mijn achternaam omdat als de Taliban zou gaan googlen de beer los zou zijn. In plaats daarvan werd ik ingelijfd bij 11tankbat. Veiligheidshalve werd ik maar gelegerd op de kamer bij twee opperwachtmeesters van de Kmar zodat die een oogje in het ziel konden houden, want je weet maar nooit. In het begin werd ik nog aangesproken met majoor, maar gelukkig weet iedereen inmiddels dat ik je en Gijs heet. Geleidelijk aan veranderde ook de bejegening variërend van betiteling met opa tot (door de overste) van 'jongeman'. Pas echt voelde ik mij in uw midden opgenomen toen ik ook de steniging in de Dixie mocht ondergaan.

Ik heb veel ontzag gekregen voor al het werk dat u onder moeilijke omstandigheden met een grote dosis enthousiasme en humor hebt gedaan. Van Minister Kamp kreeg ik op mijn kop toen ik sprak over oorlogsgebied maar u weet beter. Dat alles met een nieuwe exercitie in de krijgsmacht van 5 stappen vooruit, 4 achteruit en 2 opzij etc.

Ik zou u plechtstatig kunnen bedanken voor de goede samenwerking, maar ik denk dat niet beter te kunnen zeggen dan dat ik mij in uw midden echt thuis ben gaan voelen en u en uw hartelijkheid zal missen. Ik wil het niet alleen bij woorden laten, want praatjes vullen geen gaatjes. Na een maand hier ben ik door de BA onderscheiden met de regimentshalsdoek, die ik nu om doe. Ik ben nu de eerste Nederlandse pantsergrenadier.

De kleuren van Sytzema zijn blauw, wit en zwart en ik heb hier gezocht naar een cadeautje in die kleuren. Toevallig vond ik een boek in die kleuren, en toevallig gaat dat boek ook over het krijgsbedrijf en helemaal toevallig is dat ik dat boek ook zelf heb geschreven. Ter voorbereiding op mijn uitzending heb ik mij, om bij het begin te beginnen, verdiept in Sun Tzu's krijgskunst van 500 v.Chr en dat in mijn oude beroep vertaald voor advocaten.

124

De eerste en de tweede druk zijn inmiddels uitverkocht maar ik geef symbolisch aan de overste een van de laatste exemplaren van de 1^e druk omdat het mij een eer is geweest in uw midden te mogen dienen. Ik breng u de eregroet.'

In het gelid voor de medaille-uitreiking

De NATO non article 5 medaille

Na afloop weer een goede Afghaanse lunch

PRT2: de huzaren van Sytzama
Foto: Mindef

PRT2 aangetreden
Foto: Mindef

Cdt PRT lkol Koot meldt het PRT bij cdt TFU kol van Griensven
Foto: Mindef

Cdt PRT spreekt het geheel toe
Foto: Mindef

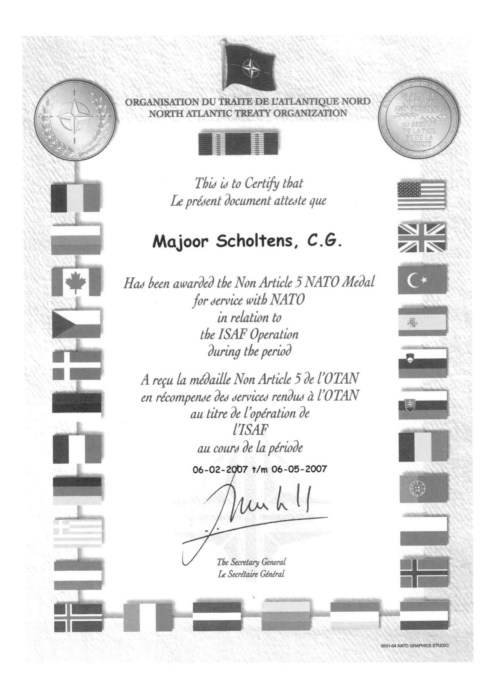

ORGANISATION DU TRAITE DE L'ATLANTIQUE NORD
NORTH ATLANTIC TREATY ORGANIZATION

This is to Certify that
Le présent document atteste que

Majoor Scholtens, C.G.

Has been awarded the Non Article 5 NATO Medal
for service with NATO
in relation to
the ISAF Operation
during the period

A reçu la médaille Non Article 5 de l'OTAN
en récompense des services rendus à l'OTAN
au titre de l'opération de
l'ISAF
au cours de la période

06-02-2007 t/m 06-05-2007

The Secretary General
Le Secrétaire Général

0531-04 NATO GRAPHICS STUDIO

De NATO non article 5 medaille

Tarin Kowt, zondag 25 maart 2007

Salaam Aleikum, goedendag allemaal,

Hartelijk dank voor al jullie reacties op mijn weekbericht van 18/3 met veel commentaar op mijn baard en mijn niet model staande baret. Dat laatste werd mij op de betreffende dag vergeven gezien mijn vriendelijke woorden tot het geheel.

Er is deze week weer veel gebeurd hier, ook al had ik daar –gelukkig-niet direct mee te maken: de overstromingen in Deh Rawod, waar het waterpeil in korte tijd bijna twee meter steeg en 'de uiterwaarden' (maar die hebben ze hier niet) onderliepen en vele qala's (huizen) verwoest werden en ook slachtoffers te betreuren waren. De helicopters vlogen hier af en aan om mensen uit het water en van de daken te halen. Ons ministers trio is daar ook geweest, maar had geen tijd om de troepen in Tarin Kowt te bezoeken. Je zou toch denken dat een nieuwe minister van defensie als eerste zijn eigen troepen te velde zou bezoeken, maar hij is hier nog steeds niet geweest. Het weer was ook bar en boos, ongeveer Hollands herfst-weer met veel regen en wind (en ik dus meteen weer verkouden).

Verder een suicide-auto-bomber, doch dankzij de oplettendheid van de voertuigcommandant, was het enige slachtoffer de bomber zelf, en een van de missie teams weer beschoten. Een nacht was het alarm hier geheel in de war, met midden in de nacht ongeveer alle alarmsignalen die er maar mogelijk waren tegelijk, terwijl het alleen ging om uitgaand vuur.

Mijn gevaar beperkte zich tot de schietbaan. Als functioneel specialisten worden wij alleen opgeleid op het pistool als persoonlijk wapen, terwijl iedere gewone militair een geweer (de Diemaco) heeft. Wij leiden hier de ANAP (Afghaanse hulppolitie) op en die schieten met de AK-47 (de Kalashnikof), zodat ik van de gelegenheid gebruik heb gemaakt mij op dat wapen te bekwamen (zie actiefoto, vurend met wegspringende huls). Mooi wapen, schiet licht en nauwelijks terugslag en begrijpelijk het in de hele (vooral derde) wereld meest populaire wapen, ook uitermate eenvoudig in het onderhoud. Ik kan dus nu ook 'naar buiten' met een AK-47, maar geloof niet dat de hogere legerleiding dat goed vindt.. Ook geschoten met de Russische PKM (een wat zwaardere versie op pootjes), maar het schieten met de RPG (de bekende granaatwerper waar je op de T.V. in Afrika en Azie alle rebellen mee ziet rondlopen) heb ik maar overgelaten aan een van onze beroepsmilitairen, want daarvoor hadden we maar twee raketten ter beschikking. Een wapen met een verwoestende uitwerking, waarvan je maar mag hopen dat dat nooit op jouw voertuig afgevuurd zal worden.

Met al dit soort militaire verhalen mag niet uit het oog verloren worden wat mijn missie hier is. De Nederlandse missie in de provincie Uruzgan is te zorgen voor veiligheid en stabiliteit. Een speerpunt daarin is het zorgen voor een goed openbaar bestuur en een goede rechtspleging, ofwel herstel van de rechtsstaat die door 30 jaar strijd letterlijk in de vernieling ligt. Mijn taak –en die van mijn opvolgers – is in kaart te brengen hoe de rechtshandhaving en rechtspleging hier nu werken (of beter gezegd niet werken) en welke (inter)nationale hulpprogramma's kunnen worden benut om e.e.a te verbeteren. Alleen op die wijze kan het vertrouwen van de bevolking in de overheid weer hersteld worden. Met de daardoor heen spelende stammenverhoudingen, de papaverindustrie, en andere 'powerbrokers', waaronder voormalige warlords, is dat vanzelfsprekend niet zo eenvoudig, waarbij ik de OMF (=opposing military forces, dwz de Taliban) als, eufemistisch gezegd, storende factor nog maar even buiten beschouwing laat.

Tenslotte, Uruzgan is letterlijk en figuurlijk ver weg van Kabul en ook binnen Uruzgan reikt de macht van de overheid (en de rechtspleging) niet overal even ver buiten de provincie hoofdstad Tarin Kowt. Het gevolg is dat in veel dorpen conflicten op traditionele wijze worden opgelost via shura's (vergadering van de dorpsoudsten). Daar is op zich niets mis mee, maar het moet wel passen binnen de Afghaanse wetgeving en dat is niet altijd het geval.

Ik praat dus met rechters, officieren van justitie, politiecommandanten, geestelijk leiders en overheidsfunctionarissen om te zien wat men nodig heeft om hun systeem hier te laten werken. Dat zijn noden op alle terreinen van getraind personeel en behoorlijke gebouwen en voorzieningen, en tot –en dat is wel wezenlijk- een bewustzijn van recht/onrecht ook volgens de Afghaanse wetgeving, waarin –vanzelfsprekend – ook corruptie, discriminatie, willekeur, drugshandel verboden zijn. De dagelijkse werkelijkheid is hier nog verre van het ideaalbeeld volgens de eigen Afghaanse normen, die wij respecteren zonder te proberen onze westerse normen op te leggen. Ook is de Afghaanse cultuur en manier van zaken doen een andere en met een ander tempo dan de onze. Wij zijn hier om de Afghanen te assisteren; zij moeten het zelf allemaal doen en wij nemen dus ook geen taken over, maar faciliteren met advies, geld en andere middelen de wederopbouw.

Zoals uit al mijn eerdere verslagen al duidelijk mag zijn, ben ik blij als ik –als gevolg van de beperkte FOM (freedom of movement) al een of twee gesprekken per week kan voeren. Ik kan natuurlijk niet iedere dag de poort uit met een zwaar bewapende en bepantserde kolonne voor mij alleen om maar ergens weer een bezoek te brengen. Tussendoor schrijf en lees ik rapporten, neem deel aan de –vele- interne dagelijkse briefings over de veiligheidssituatie en de wederopbouwprojecten en alle mogelijke incidentele overleggen . Ik ben dus de hele dag van 06.30 tot 22.00 uur, zoet dag in dag uit (ook al is zondag hier 'low-ops' met koffie en taart, maar ook dan wordt er braaf doorgewerkt), maar zit tussendoor ook veelvuldig in de zon

Inmiddels, jammer genoeg, al weer op de helft van mijn 'tour of duty' en nu ingelijfd bij 41P(antser)gen(ie)bat dat het nieuwe PRT 3 vormt.

Tot volgende week,
8<{))
Gijs

Afghaans Nieuwjaar in PRT-huis

Met de ANA (Afghan National Army)

En met muziek

Dansende autoriteiten

Ik volsta met klappen
Foto: Mindef

Met PIO (press information officer) en OA (operational analyst)

De bezoekers vertrekken weer

De bergen blijven besneewd

De Fennek

De Duitse vuilnisauto

Onze PRT-containers met hulpgoederen

Aanvoer van diesel

De standaard Aghaanse jingle-truck

Wachten opeen bezoeker bij de poort

Het gebruikelijke fouilleren bij de poort

De kantoor chalets

Nu schietoefening met de PKM

En Australische collega

Wederom schietoefening met Dyncorp

*De raket van de RPG
wordt gedemonstreerd*

RPG afgevuurd

De heavy weapons range in de verte

U.S. special forces

145

de dagelijkse lunch

Tarin Kowt, zondag 1 april 2007

Salaam aleikum, goedendag allen,

Twee Afghaanse vrije dagen achter de rug: vrijdag is de Afghaanse zondag en zaterdag was de geboortedag van de profeet. Op dat soort dagen gaat het leven hier op het kamp gewoon door met als enige verschil dat er geen grote vergaderingen met Afghanen zijn. Eerder deze week woonde ik het wekelijkse overleg met gouverneur Munib en zijn ministers (directeuren van departementen) bij op de governor's compound, een vanzelfsprekend zwaar bewaakt terrein midden in de stad, maar met een mooie al in bloei staande tuin. Iedereen de hand geschud, waaronder nu inmiddels al een behoorlijk aantal mij bekende hoogwaardigheidsbekleders. Met de minder bekenden schudt men de hand, met de beter bekenden een soort halve omhelzing als begroeting, beleefdheden in Pashtu uitwisselend . Dit soort vergaderingen zijn (voor de tolk en dus ook voor ons) niet altijd eenvoudig te volgen want er wordt veel door elkaar gepraat. De vergadering vindt plaats in een langgerekt glazen gebouw, waar de gouverneur en de commandant PRT in mooie stoelen aan de korte kant aan het hoofd zitten en de rest van de (circa 30) aanwezigen op eenvoudiger stoelen langs de beide muren. Bij onze delegatie is dan ook steeds aanwezig de U.S.Polad (de vertegenwoordiger van de Amerikaanse regering), een dame die voor die gelegenheid zedig een shawl over haar hoofd draagt.

Ook deze week een keer mee geweest met een van de missieteams op een voet patrouille in en rond Tarin Kowt. Dat is ook dan weer met volledige force protection de stad in, maar aldaar uitgestegen en verder te voet, terwijl de pantserwagens en jeeps op strategische plekken blijven staan om zo nodig dekking te geven. Deze keer waren mee een journalist en een fotograaf van de New York Times, aan wie ik heb uitgelegd wat mijn missie (en mijn vorige leven) was en ik ben benieuwd of van dat alles eventueel ergens in de komende weken in de N.Y.Times te lezen valt. In ieder geval heeft de fotograaf veel plaatjes geschoten, o.a. van mij met helm en scherfvest met aan de hand het kleine zoontje van iemand aan wie ik in T.K. een bezoek bracht. Paste helemaal in het beeld van de Dutch approach. Daarbij hoorde niet echt dat ik ook nog een smak op straat maakte, struikelend over een steen, en ook dat staat ongetwijfeld op een foto. Tot mijn vreugde kon ik constateren dat de muur rond de rechtbank inmiddels was gebouwd. Dat is ons allereerste project, in het kader van verbetering van de veiligheid van de rechters, dat nu is voltooid. Tijdens diezelfde voetpatrouille ook in de dorpjes rond T.K. gelopen en het is een mooie combinatie om in de (felle) zon de groene (ook poppy?)velden te zien met daarin de gele lemen qala's. Je ziet mij op de foto op een landweggetje, waarbij zal opvallen dat ik als enige van de in beeld zijnde militairen, conform voorschrift als hot target, mijn helm draag. Na drie uur in de hitte met helm en 10kg scherfvest heuvel op en af klauterend ben je geheel doorweekt, maar dat was het alleszins waard.

Huiselijker nieuws is dat ik van slaapplaats moest verhuizen in het kader van geheel nieuwe indeling, waardoor de drie functioneel specialisten nu samen in een slaapcontainer met twee stapelbedden (er kan dus nog iemand bij) zijn ondergebracht. Ook ons 'kantoor' moest heringericht worden, waardoor ik mijn kunstig van planken en munitiekistjes gemaakte boekenkast af moest breken en een meter naar links moest verplaatsen, of beter gezegd 90 cm naar links, want zo breed is ieder van onze vier werkplekken. Dat eenmaal gedaan hebbende bleek onze Australische collega (dus de vierde man in ons kantoor) de strenge instructie te hebben dat zijn computer tenminste 1,5 meter van onze vijf computers af moest staan. Gevolg daarvan nu is dat de drie Nederlanders naast elkaar zitten op samen 3 meter , dan een meter niets, en dan nog bijna 2 meter voor onze Australische collega, met wie wij het overigens uitstekend kunnen vinden. Als compensatie voor deze onevenredigheid heeft hij aangeboden de Australische engineers te vragen een mooie kast voor al onze uitrusting te laten bouwen.

Tenslotte als extraatje nog een aardig fotootje van een kleine karavaan die voor onze buitenpoort (waar je staat te wachten als je bezoekers ophaalt) voorbij trekt.

Zo weer even genoeg nieuws voor deze week. Mochten jullie volgende week zondag geen bericht van mij ontvangen, wees dan niet ongerust, want als het goed is ben ik dan op reis elders en weet niet of ik een email kan verzenden. Zo niet dan komt het volgende bericht later in die week.

Hartelijke groet maar weer uit een wisselend zonnig en regenachtig Uruzgan
8<{))
Gijs

Op voetpatrouille in Tarin Kowt

De Irish crossing in Tarin Kowt

En de 'overwatch' houdt een oog in het zeil

Heuvel op heuvel af

De muur rond de rechtbank is klaar

Langs de qala's

Het kantoor van de hoofdofficier van justitie

Bezoekers van het openbaar ministerie

Een kamer van het openbaar ministerie

Weer onder pantser naar Tarin Kowt

De governors compound in bloei

Antechambreren bij de gouverneur

De ministers (hoofden departementen)

Een missieteam in gesprek met lokale autoriteiten

Afscheid van mijn Australische collega

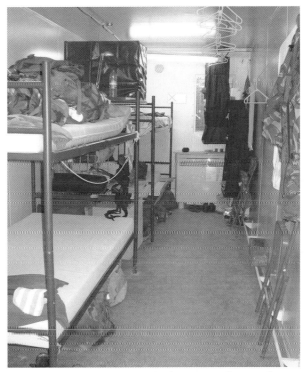

Nieuw slaapvertrek van de functioneel specialisten

De dames van het PRT aan het wapenonderhoud

Inauguratie ceremonie ANAP

de nieuwe ANAP wordt beëdigd

Het zwaarste voertuig, de Leopard bergingstank

159

De Afghaanse wacht bij de voorpoort

Weer regen

Een colonne verlaat Kamp Holland.

Kamp Holland, de omringende bergen in de zon.

Afghaanse kooplieden op de bazaar in Kamp Holland.

Het comcen (communicatiecentrum).

Het wekelijks overleg met Polad.

De gevangenis in Terin Kowt.

Nog besneeuwde bergtoppen.

De slaapchalets in de zon.

Temidden van de gevangenen in Tarin Kowt.

Wachten op de helicopter in Deh Rawod.

Uruzgan from the air.

de hoofdofficier van justitie met zijn zoon.

Een gloedvolle toespraak bij de Nato-medaille uitreiking.
Foto: Mindef

Schietoefening AK-47 met Dyncorp.

Afghaanse nieuwjaarslunch in het PRT-huis.
Foto: Mindef

90 cm office functional specialist legal.

Zolangzamerhand veteraan.

Op een landweggetje ergens.

De Patria houdt de wacht bij de governor's compound.

ANAP inauguratie.

Kamelenkaravaan voor de voorpoort.

De vlaggen bij de ingang van Kamp Holland.

Afghaanse wachtpost op de buitenring.

ISAF HQ Kabul, the yellow building.

In de tuin op de stoel van Cdt ISAF HQ, Kabul.

181

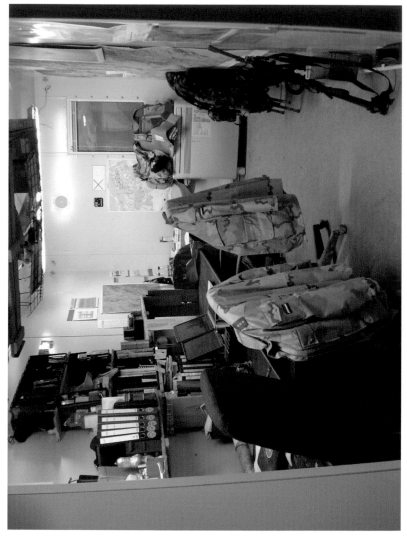

Het kantoor van de functioneel specialisten.

Instappen voor de draaiende propellers van de Hercules C-130.

Verplaatsing met Canadees pantser in Kandahar.

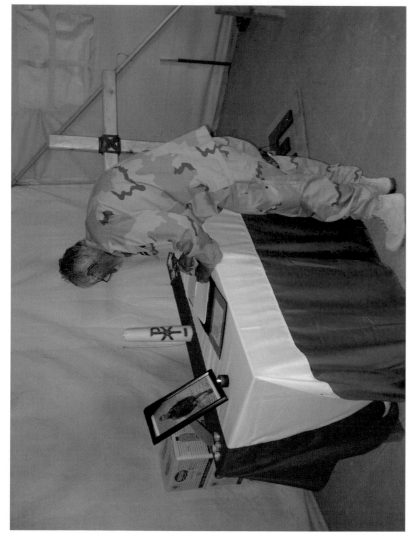

Tekenen van het condoleance-register op Kamp Holland.

Een zandhoos op Kamp Holland.

In- en uitroteerders kruisen elkaar.

Missie bij dageraad: naar Chenartu.

Het doel van de missie: respekt betuigen aan de nabestaanden.
Foto: Mindef

De gebruikelijke drukte op vliegveld van Kamp Holland.

Vergadering PDC (provincial development committee) justitie sector.

Afscheid van de hoofdofficier van justitie.

De collega functioneel specialisten.

De Hercules landt op TK in de gebruikelijke stofwolk.

Hummers op KAIA (Kabul military airfield).

1(NLD)PRT

VIP OF THE DAY
QAZI GIJS Jan

Tribe: SCHOLTENZAI

Age: 60

Residence: wherever he feels welcome

Information:

- has been born and raised in Grôningen
- went to school and finished Gymnasium (however he cheated a lot)
- went to law school from 1964 till 1969 in Leïen
- became lawyer with NAUTA DUTILH and he became partner in 1979
- resigned in 2004
- joined the army in 2005 (he was still looking young enough)
- wrote a few books during his life
- is chairman of the trust "friends of the Dutch army museum"
- has many good friends all over the world, especially from Canadian origin

VIP of the day.

Kolonisten van Catan in de Echo's

Het is niet zo druk op de bazar op het kamp deze keer

De dieselopslagplaats

De Dixie

Missieteam cdt weegt peper af voor Chenartu nabestaanden

Onze wachtpost op de binnenring

Tarin Kowt, zondag 8 april 2007

Goodmorning everybody, vrolijk Pasen

Pas toen ik enkele dagen geleden in Kabul arriveerde en een chocolade paaseitje kreeg wist ik dat het dit weekend Pasen is. Ik zit dus nu op het ISAF hoofdkwartier in Kabul met een voor mij –hoe goed we het in Tarin Kowt ook hebben- weer ongekende luxe.

Dat begon al toen ik uit Tarin Kowt afreisde. Om te voorkomen dat ik twee dagen onderweg zou zijn (met tussenstop in Kandahar), had ik gere geld dat ik met PRT-Air kon vliegen. Dat is een vliegmaatschappij van de Amerikaanse regering die twee keer per week van Kabul naar Tarin Kowt op en neer vliegt met een klein vliegtuigje. Voorrang als passagiers hebben de Amerikaanse diplomaten en officials, maar als er plaats is –en dat hoor je pas een dag tevoren- mogen er ook mensen van het PRT mee.

Aldus stond ik 's ochtends vroeg op de airstrip van Tarin Kowt, maar geen vliegtuig te bekennen en verder ook niemand te zien. Uiteindelijk na een geruststellend telefoontje met de verkeerstoren aan het andere uiteinde van de airstrip landde er een klein wit vliegtuigje. Er stapte niemand uit behalve de twee piloten die zich verontschuldigden voor de vertraging maar er was in Kabul een kleine aardbeving geweest, vandaar.

Tot mijn verrassing bleek ik de enige passagier te zijn, dus vliegtuig helemaal voor mij alleen uit Kabul om mij op te halen. Wat een VIP-behandeling alleen in een toestel goed voor 6-7 passagiers. Een uur later stond ik gepakt en gezakt, dus weer met helm en scherfvest en bagage op de rug op het burgervliegveld van Kabul. Na met volle bepakking gewoon over het vliegveld tussen en onder alle grote vliegtuigen doorgelopen te hebben (zou je in Nederland eens moeten proberen) werd ik gelukkig door de wacht bij het militaire vliegveld aldaar toegelaten. Mijn militaire pas met foto zonder baard toont geen enkele gelijkenis meer met mijn nu bebaarde uiterlijk. Van dat vliegveld moet je dan nog met beveiliging over de weg naar het ISAF hoofdkwartier in de stad, maar ook dat ging soepel, nadat ik in de kleermakersshops op het vliegveld alle meegekregen bestellingen (voor Arabische naamlinten en petjes met juiste opschriften) had geplaatst.

Het was wel weer even wennen in het verkeer in Kabul: gewoon in de file staan in je gepantserde jeep op een drukke weg, terwijl ik in Tarin Kowt gewend was dat de weg voor je wordt schoongeveegd. De VIP-behandeling zette zich voort op het Nederlandse hoofdkwartier, waar ik niet in een slaapchalet werd ondergebracht maar in het gebouw van het hoofdkwartier in een generaalskamer, bestaande uit een dubbele container met eigen badkamer met douche en w.c. Een ongekende luxe komend uit TK.

Het is hier in Kabul een echt andere wereld dan in Uruzgan en de bekende uitspraak 'Uruzgan is ver van Kabul' (in alle opzichten, zowel in afstand als economisch en cultureel) werd al weer spoedig duidelijk toen ik een vergadering in de stad bijwoonde van de Consultative Group Governance, Rule of Law and Human Rights van de ANDS (Afghanistan National Development Strategy). De ANDS heeft een aantal benchmarks uitgezet voor de komende jaren en daarover wordt dan eens in de zoveel tijd vergaderd door de Afghaanse ministers en andere hoogwaardigheidsbekleders met de diplomaten van de donorlanden en VN-instituties.

Kortom een vergadering met ongeveer 100 deelnemers, waar ik in een stoel zat achter de Nederlandse diplomaat. Iedereen in westerse kleding, ook de Afghanen. Slechts een in traditionele kleding met tulband en baard. Ik viel zelf dus ook enigszins uit de toon. Wat een andere wereld dan Uruzgan. Hierbij een foto van die vergadering en ter vergelijking een foto van een minstersmeeting in Uruzgan en dan is het wel duidelijk. Drie uur lang vergadering, grotendeels in het engels, maar gedeeltelijk ook in Dari (dat ik niet kon volgen omdat ik geen koptelefoon had) zonder duidelijke conclusies. Voor mij een taaie ochtend, hoewel ik gelukkig naast een charmante Russische diplomate zat.

De reden voor mijn verblijf in Kabul is tweeledig. Met de ambassade ga ik nu overleggen aan de hand van mijn bevindingen de afgelopen twee maanden welke projecten (en met welke financiele middelen van de Afghaanse overheid of de internationale gemeenschap) wij in Uruzgan zouden kunnen opstarten om het juridische systeem daar beter te laten functioneren.

Daarnaast was hier de ISAF Legal Conference, waar circa 15 militaire juristen van het hoofdkwartier en uit diverse delen van Afghanisten onder leiding van de Senior Legal Advisor van ISAF, o.a. over de Rule of law (en vandaar mijn aanwezigheid) spraken. Zeer interessant en nuttig, ook de kennismaking met Amerikaanse, Canadese, Deense, Noorse, Duitse, Finse en Italiaanse collega's. Ook deze bijeenkomst was een andere wereld dan in Uruzgan, eindigende in de groene tuin van het hoofdkwartier met grote sigaren.

Tijdens de 'keek op de week' in het Nederlandse hoofdkwartier heb ik (conform instructie weinig tekst, veel plaatjes) een selectie uit mijn inmiddels circa 700 foto's laten zien van mijn escapades in Uruzgan, voor velen van de staf hier natuurlijk onbekend terrein.

Intussen gaat de werkelijkheid in Afghanistan gewoon door. De knal 's ochtends om 8 uur in Kabul registreerde ik nu –anders dan twee maanden geleden de raketinslag toen ik net geland was- wel als een explosie. Vier doden eigens in Kabul door een zelfmoordaanslag. In Tarin Kowt afgelopen week een gewonde militair, Afghaanse doden daar op de bazaar door een ongeluk met een uxo (unexploded ordnance, dus een of andere oude granaat die daar verhandeld werd) en op Goede Vrijdag een Nederlandse dode te betreuren als gevolg van een ongeval met een voertuig dat kantelde tijdens het oversteken van de rivier. Tragisch, de omgekomen sergeant was nauwelijks een week in Afghanistan. Ook al ben ik in Kabul, het voelt wel dichtbij. Op het hoofdkwartier in Kabul de vlaggen van de 37 ISAF landen halfstok. Dat is bijna iedere dag het geval, want praktisch iedere dag sneuvelt er in Afghanistan wel iemand van de internationale vredesmacht.

Wat een wereld; deze week ga ik weer terug naar Tarin Kowt met mijn voeten in het stof of de blubber en de handen uit de mouwen proberen iets concreets aan de wederopbouw te doen.

Hartelijke groet
8<{))
Gijs

De bouwer van de Echo's op bezoek

Het vliegveldgebouw van Kamp Holland

Een verdwaalde Apache tussen de brandweer

met PRT-Air naar Kabul

In mijn eentje op het leer

Afghaanse winkeltjes op KAIA (militair vliegveld Kabul)

Het vliegveldgebouw op KAIA (straatzij-de)

Een straaljager op KAIA

Het vliegveldgebouw op KAIA (vliegveld-zijde)

Boven: Holland House, KAIA

Rechts: onze gepantserde ambassade in Kabul

De slaapvertrekken van onze ambassade

Vergadering van de ANDS in Kabul

Gepantserde jeeps van de vergaderaars

Het slaapkwartier op ISAF HQ

De tuin van ISAF HQ

De weg naar de poort van ISAF HQ

Mijn luxe douche

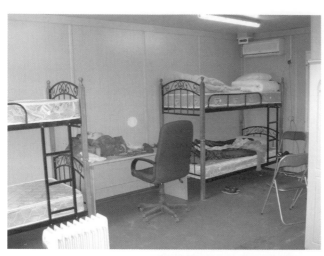

En luxe slaapvertrek

Nederlands hoofd-
kwartier op ISAF
HQ

ISAF legal conference

Met een goede sigaar in de tuin

Een straatje op ISAF HQ

De wekelijkse bazar op ISAF HQ

Medailles te koop

Maar ook antieke wapens

De vlaggen weer halfstok

Mijn (d.w.z van de afwezige generaal) luxe kantoor

Met ambassadese-cretaris en Polad

De slotenmaker, want ik kreeg de deur niet meer open

Weerzien met het rokers-syndicaat uit de opleiding in Amersfoort

Taart in de eetzaal op ISAF HQ

Met de Legad (legal advisor)

Het kantoor delend met de Legad

Tarin Kowt, zondag 15 april 2007

Salaam aleikum, goedenmorgen allen,

Ik ben weer veilig 'thuis' in Kamp Holland, na een week op het hoofdkwatier in Kabul te hebben doorgebracht. Daar had ik ook de luxe van een snelle internetverbinding waardoor ik eens goed door alle mogelijke bronnen over Afghanistan in het algemeen en Uruzgan in het bijzonder kon surfen. Als jullie alle informatie over de missie in Uruzgan willen lezen kan ik aanbevelen het officiële weblog http://oruzgan.web-log.nl. In de kolom rechtsonder zijn ook aparte links naar Kamp Holland en Provincial Reconstruction Team. Ook is aardig de wekelijkse column van onze PRT commandant overste van der Voet in het Brabants Dagblad www.brabants.dagblad.nl. Tenslotte kan ik voor de TV-kijkers aanbevelen de wekelijkse serie die op 11 april is begonnen (Ned 2, 20.50 uur), waarin een aantal militairen hier (waaronder mijn oud-PRT-collega Gwenda) gedurende hun verblijf hier zijn gevolgd.

Al surfend stuitte ik ook op de uitvoerige brief die de drie ministers na hun bezoek aan Afghanistan op 23 maart aan de Tweede Kamer hebben gezonden over de actuele stand van zaken. Daarin worden ook de CIMIC-activiteiten beschreven en onze inzet als functioneel specialisten op het terrein van 'gezondheidszorg, irrigatie en justitiële aangelegenheden', waartoe - zo lees ik - een jurist aan het PRT is toegevoegd (ik dus). Ik moest overigens wel even glimlachen bij de politiek correcte bewoordingen over de algemene veiligheidssituatie : 'Binnen de inktvlek (de gebieden rondom Deh Rawod en Tarin Kowt) kan de TFU relatief ongehinderd zijn opbouwwerkzaamheden uitvoeren en wordt voortgang geboekt.' De crux zit natuurlijk in het woord 'relatief', waarbij iedereen kan denken wat hem het beste uitkomt.

Dat de reservisten-functioneel specialisten niet slechts voor de show een camouflagepak dragen en bewapend zijn bleek deze week weer eens toen een van mijn collega's tijdens een patrouille met een aantal voertuigen van een paar kanten tegelijk beschoten werd, ook met een granaatwerper, die gelukkig doel miste. Hierop ontstond een vuurgevecht met de OMF (wij spreken niet van Taliban, maar van Opposing Military Forces) waarin ook mijn collega een stevig partijtje mee heeft moeten schieten. Gelukkig geen slachtoffers aan onze zijde. Dat zo'n TIC (troops in contact) plaatsvindt merken wij hier op het kamp doordat opeens de militairen van de QRF (Quick Reaction Force) langs komen hollen en met hun voertuigen de poort uit stuiven om de aangevallen troepen te hulp te schieten. Mijn twee andere collega functioneel specialisten waren ergens op stap met de Amerikaanse special forces om in de betreffende sector een aantal dingen te bekijken, inclusief verkenning midden in de nacht. Ook maakten zij in een helicopter wilde ontwijkingsbewegingen mee, nadat de helicopter was 'aangestraald' door een raket. Spannend allemaal, behalve dat het geen spelletje is maar bittere ernst. Dat is allemaal wat andere koek dan, zoals ik als vierde functioneel specialist, hier beschaafde gesprekken voer met Afghaanse justitiële autoriteiten, maar zo dragen we allen ons eigen steentje aan de wederopbouw van Afghanistan bij.

Het wederopbouwwerk is eigenlijk geen taak van militairen, maar de filosofie van CIMIC-activiteiten is dat de militairen dat moeten doen zolang het gebied niet veilig genoeg is voor de NGO's (non governmental organisations), die het zodra dat mogelijk is van de militairen moeten overnemen. Wij zien hier nu ook regelmatig vertegenwoordigers van NGO's verschijnen om poolshoogte te nemen. Zij logeren dan hier op het kamp (moeten wel hun eigen slaapzak meenemen etc., want het is hier geen hotel). Vervolgens stappen zij dan 'gewoon' (d.w.z. zonder force protection, helm of scherfvest) voor de poort in een auto van hun Afghaanse counterparts en zijn dan de hele dag op stap. Dat is voor hun eigen rekening en risico, maar ik houd mijn hart daarbij wel af en toe vast. Het staat in ieder geval in schril contrast met de manier waarop wij ons hier verplaatsen.

Tenslotte naar aanleiding van diverse verzoeken hierbij een paar fotootjes van mijn werk en leefomstandigheden: een gepantserd chalet (zo zien onze werk- en slaapchalets er uit, veilig en binnen redelijk koel), mijn slaapkamer 'home' (2 bij 6 m) met twee stapelbedden, waar wij met zijn vieren slapen en mijn 'office' waar wij met zijn vijven werken; de tegen de muur opgebouwde boekenkast van munitiekistjes en plankjes is mijn werkplek.

Hartelijke groet uit een inmiddels warm Uruzgan (meer dan 30 graden in de schaduw en boven de 55 graden in de zon, maar mijn thermometertje kan niet hoger)

8<{))
Gijs

Met Legad terug naar Kabul burgervliegveld

Met de force protectie op Kabul burgervliegeld

De kogelgaten zijn nog zichtbaar (Kabul burgervliegveld)

PRT-Air staat weer klaar om mij naar TK terug te vliegen

Kabul from the air

The Hindu Kush from the air

Een Hercules C-130 van de UAE op Kamp Holland

Aflossing van deta-chement special forces UAE

Australische gepant-serde dragline

Australische gepantserde vrachtwagen

Mijn werkplek is nu echt compleet

Containervervoer

Een missieteam van PRT3 met CSE ('Cimic support element)

Het PRT-chalet

Wnd ambassadeur Mohr op bezoek

NGO-bezoekers wachtend op een vlucht terug

Tarin Kowt, zondag 22 april 2007

Salaam aleikum, goedenmorgen allen,

Het is hier weer een droeve week geweest met het, nu voor het eerst als gevolg van vijandelijk optreden, sneuvelen van een 21-jarige Nederlandse –en vlak daarop daar vlakbij een Amerikaanse- soldaat in de uitloop van de herovering van Sangin in de naburige provincie Helmand. Het is iets waar je niet aan went, ook al is het een risico dat voor iedereen hier dagelijks in kleinere of grotere mate aanwezig is. Het hele kamp weer aangetreden in een herdenkingsplechtigheid terwijl de zon achter de bergen onder ging.

Ook deze week in de stad Kandahar, in de provincie ten zuiden van ons, vijf VN-functionarissen gedood toen hun auto opgeblazen werd. Ik was op dat moment in Kandahar voor een bezoek van enkele dagen aan het Canadese Provinciaal Reconstructie Team, dat zijn basis –anders dan wij hier- midden in de stad heeft. Mijn Canadese collega had ik ontmoet tijdens de ISAF legal conference eerder deze maand in Kabul en het bleek toen dat zij en ik tegen dezelfde problemen aanliepen op het gebied van 'the rule of law' en veel dezelfde ideeën hadden. Een keer grondig ervaringen en informatie uitwisselen was dus erg zinvol.

Weliswaar ligt Kandahar op maar een half uurtje vliegen van Tarin Kowt, maar het kost bijna 24 uur om je van onze basis hier naar de PRT-basis daar te verplaatsen.

Op de heenweg moest ik vier Afghaanse hoogwaardigheidsbekleders escorteren van Tarin Kowt naar KAF (het vliegveld van Kandahar). Dat ging met een grote C-130 Hercules die in een enorme stofwolk hier landt , waar je vervolgens vlak voor de draaiende propellers moet instappen. Op KAF dan een voertuig met chauffeur regelen om de gasten naar de poort te brengen, vervolgens overnachten in een tent op KAF in afwachting van de militair konvooi de volgende dag naar de stad Kandahar. Dat had ook nogal wat voeten in de aarde maar tenslotte werd ik door de Canadese militaire politie in een zwaar gepantserd konvooi veilig afgeleverd op de basis in de stad.

Ik mocht ook, natuurlijk wederom met gepantserde force protection, mee naar de gevangenis in Kandahar, in mijn beschrijving 'heaven' vergeleken met de gevangenis in Tarin Kowt: aparte afdelingen voor mannen, vrouwen (met hun kleine kinderen), minderjarigen en politieke delinquenten; een werkplaats waar gevangenen tapijten knopen en glas etsen en een keurige administratie. Het lijkt mooi en dat is het relatief ook, maar, zoals over alles in Afghanistan, doen ook minder mooie verhalen over misstanden de ronde. Een van de grote problemen en struikelblokken om tot echt een rechtsstaat te komen is en blijft de beloning van iedereen in de hele justitiële keten (van politie, officieren van justitie, rechters, gevangenispersoneel); zolang die niet is opgetrokken tot een fatsoenlijk peil houdt dat een micro economie van misstanden in stand, uitzonderingen natuurlijk daargelaten.

Naast alle ernst van de missie zijn er ook regelmatig grappen en grollen. Onze dagelijkse ochtend briefing vindt plaats in onze briefing room met een powerpoint presentatie over gebeurtenissen van de afgelopen dag, planning voor de komende dagen en alle verder relevante zaken. Iedere dag is er ook een plaatje van een Afghaanse VIP of the day met gegevens zoals (belangrijk hier) van welke stam etc. Ik was dan ook aangenaam verrast op een dag de stam Scholtenzai voorbij te zien komen, pas daarna bemerkend dat men mij had ingeknutseld, met trucfoto en, zoals iedere intel niet altijd correcte info, zie hieronder (als het tenminste lukt de powerpointslide in deze email meegekopieerd te krijgen); goed voor veel hilariteit.

Genoeg weer voor deze week. Mijn weekbrieven aan jullie zijn in verkorte vorm ook gepubliceerd in het tijdschrift Armex van de Koninklijke Nederlandse Vereniging 'Ons Leger' en hebben vervolgens hun weg gevonden naar de oruzgan weblog, zodat inmiddels iedereen hier ook gezien heeft wat ik allemaal naar huis schrijf. Als understatement onder de foto van mij in de gevangenis is het onderschrift geplaatst: 'de auteur in contact met de plaatselijke bevolking'.

Tot volgende week, insh'Allah
8<{)))
Gijs

Begeleiding van Afghaanse autoriteiten naar KAF

De Hercules landt op TK in de gebruikelijke stofwolk

In de rij voor het instijgen

De Afghaanse autoriteiten afgeleverd bij de binnenpoort op KAF

Enduring Freedom Blvd op KAF

Collectie oud geschut op KAF

Canadese PRT in Kandahar

De binnenplaats van Canadese PRT in Kandahar

Voertuigen op Canadese PRT Kandahar

Met mijn Canadese collega's in Kandahar

Uitzicht op Kandahar vanaf het PRT

Gevangenen knopen tapijten

De gevangenis in Kandahar

De werkplaats van de ge-
vangenen in Kandahar

Gevangenen etsen
glas kunstwerken

De gevangenisdirecteur in
Kandahar

Over de weg in Kandahar

Onder pantser in Kandahar

Echte wastafels bij PRT Kandahar

En een zwembad!

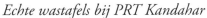

Helicopters landen middenin in kamp

IJsjes in de eetzaal van het Canadese PRT

Kantoor Canadese PRT Kandahar

KAF (Kandahar Airfield)

Achter instijgen in de Hercules op KAF

De laadruimte in de Hercules

Met de Bushmaster
een munitietransport
op Kamp Holland

De munitiebunkers
op Kamp Holland

De grondstewardess
op vliegveld Kamp
Holland

Een containerkraan

De munitie afgeleverd op het helicopterveld

Helicopters vliegen af en aan

De eeuwige stofwolk bij stijgen en landen

Het UMC (Uruzgan Medical Center)

Voetpad naar het PRT-huis

Weer slachtoffers te betreuren

Het PRT-huis

PRT-shura in de Afghaanse zaal in het PRT-huis

Tarin Kowt, zondag 29 april 2007

Salaam Aleikum, Goedenmorgen allen,

Bij het aanbreken van de dag stijgen de helicopters op en klimmen snel naar veilige hoogte. In de diepte ligt de rivier met aan weerszijden een groene strook met qala's (huizen) en daarbuiten de bruine kale vlakten en berghellingen. Zwenkend naar het oosten duurt de vlucht ongeveer 20 minuten – de zon is inmiddels op- over gedeeltelijk minder veilig gebied (ik leer mij steeds diplomatieker uit te drukken) naar het verste punt van onze inktvlek in Uruzgan, het dorp Chenartu.

Drie helicopters landen op een vlakte buiten het dorp, terwijl twee gevechtshelicopters hoog in de lucht een oog in het zeil houden. De landingszone is aangegeven met groene rook door onze Vipers –onze special forces- die twee dagen eerder met hun open jeeps over de grond (van over de weg kun je hier nauwelijks spreken) al naar Chenartu zijn gereden en nieuwe politieauto's voor dat dorp hebben geëscorteerd. Hun tocht duurde langer dan gepland omdat zij opgehouden werden door twee, gelukkig tijdig ontdekte en onschadelijk gemaakte, IED's (improvised explosive device). De vipers hebben nu met hun voertuigen posities ingenomen op de hoogten rond de landingszone om zo de landing van de heli's te beveiligen.

Uit de heli's komt een aantal begin van de week gediplomeerde Chenartu ANAP mannen (Afghan National Auxiliary Police), hulppolitie, maar in feite belast met het bemannen van de checkpoints ter verdediging van hun dorp. De ceremonie eerder deze week op de ANAP trainingssite hier in Kamp Holland was als gewoonlijk, in de brandende zon, weer plechtig. Nadat de mullah een vers uit de Koran had gezongen hield politiegeneraal Qasim een gloedvolle toespraak dat de politiemannen het recht en het nationaal belang boven alles (dus boven stam, familie en vrienden) moesten stellen. Daarna volgde de beëdiging terwijl de genodigde officieren van de vredesmacht keurig stonden opgesteld.

Nu waren de dapperen dus terug in hun dorp ter verdediging daarvan tegen de Taliban. De heli's die met draaiende wieken waren blijven staan stijgen snel weer op om een tweede lichting op te halen.

Met de politiemannen was ook pers meegekomen en enkele officieren van het PRT en ik met een speciale missie. Een tijd geleden zijn bij gevechten rond Chenartu door een ongelukkige samenloop van omstandigheden enkele politiemannen getroffen door eigen vuur van onze helicopters. Zoals een van de nabestaanden berustend zei dat dat Allah's wil is geweest.

Naar goed gebruik hebben wij naar aanleiding daarvan de families van de slachtoffers voorzien van grote hoeveelheden voedsel voor de maaltijd die zoveel dagen na het overlijden ter herdenking wordt aangericht. Als vervolg daarop is ook een bedrag door ons ter beschikking gesteld als steun voor de getroffen families. Het leek gepast, als teken van respect, de bedragen voor de vier families door mij –als oudere met grijze baard- te laten overhandigen. Aldus geschiedde; het hele dorp was ongeveer uitgelopen, de kinderen op eerbiedige afstand toekijkend, terwijl ik –onder het oog van de camera's- de enveloppen overhandigde aan de nabestaanden, nadat de missieteamcommandant de families had toegesproken.

Dit alles moest binnen een uur gebeurd zijn, want zodra de tweede golf helicopters was geland om de resterende politiemannen uit te laden, moesten wij weer hollend terug de helicopter in. De heli's moeten immers zo snel mogelijk de lucht weer in. Een half uur later gelukkig veilig aan de grond in Kamp Holland. Het is dan pas acht uur in de ochtend, net te laat voor het ontbijt, maar met het gevoel alsof sinds het opstaan om half vijf al een hele, spannende –maar gelukkig zonder 'incidenten' verlopen- dag voorbij is gegaan..

Een serie foto's van deze kleine missie copieer ik in een worddocument bij deze email, want de defensiecomputer is nu opnieuw zo beveiligd dat ik mijn foto's daarop niet meer als bijlage kan laden.

Komende week arriveert, insh'allah, mijn opvolger, waarna ik mijn terugkeer naar Nederland kan gaan voorbereiden. Dat duurt dan nog wel even in verband met overdracht van zaken en niet te vergeten mijn verplichte adaptatieprogramma op Kreta. Volgende week zondag weet ik waarschijnlijk meer.

Intussen hartelijke groet
8<{)))
Gijs

*Verkeersopstopping
voor de binnenpoort*

*Graduatie ceremonie
ANAP*

*Marechausse vernuft: vliegenstrip
aan handboeien*

Mijn eerste kamergenoten, de oppers van de Kmar

Zij gaan terug naar huis

Een groep wacht op uitroteren

249

Stofwolken van een geland vliegtuig

Een willekeurig vliegtuig op het vliegveld van Kamp Holland

De Hercules stijgt op in de onvermijdelijke stofwolk

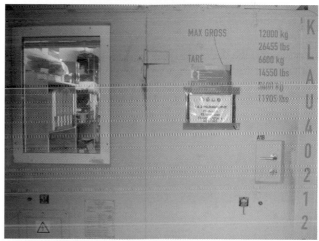

De deur van het functioneel specialisten kantoor

De containerkraan aan het werk

251

En weg is de container

De helicopter vertrekt

Op weg naar Chenartu

Geland op de vlakte bij Chenartu

*Snel vertrekt de heli-
copter weer*

*De oude krijger in
Chenartu*

*Kinderen op eerbiedi-
ge afstand willen niet
gefotografeerd worden*

De vipers houden de wacht

De tweede golf heli-copters in aantocht

De retourvlucht landt in Chenartu

Nieuwe politie-auto's voor Chenartu
Foto: Mindef

De motoren van de bevolking van Chenartu
Foto: Mindef

Terug hoog door de bergen
Foto: Mindef

In de helicopter terug naar Kamp Holland
Foto: Mindef

Uruzgan from the air
Foto: Mindef

Briefing door col-
lega functioneel
specialist

Barbeque PRT3; let-
ter of recommenda-
tion voor functioneel
specialisten

Een missieteam gaat op pad

Dyncorp in de zon

De entrée van het PRT-chalet

Zonnedoek wordt gespannen

Inkomende en uitgaande functioneel specialisten.

Een Apache komt in actie

Ook voertuigen veroorzaken stofwolken

Tarin Kowt, zondag 6 mei 2007

Salaam aleikum, goedenmorgen allen,

Een week met Koninginnedag, dag van de arbeid (in Afghanistan een nationale feestdag), dodenherdenking en bevrijdingsdag verloopt in Nederland jaarlijks volgens een vast patroon dat wij allemaal van kinds af aan kennen. Hoe anders is het om dat hier ver van huis in een 'conflictzone' (diplomatiek woord) mee te maken .

Voor Koninginnedag stonden op de basis diverse evenementen op het programma, van sportwedstrijden tot koninginnebal (waarvoor ik speciaal naar de ook ergens op de basis in een container huizende kapper was geweest om mij te laten knippen en baard trimmen). Het ging allemaal niet door omdat (te) veel eenheden 'buiten' waren, zodat alle festiviteiten werden afgelast.

Niettemin leek het mij gepast om mij met oranje hemd te tooien (uiteindelijk dien ik als Garde Grenadier 'onder het oog des Konings'). Nu zijn onze uniformvoorschriften hier behoorlijk streng om te voorkomen dat iedereen in de tropische temperaturen maar in al of niet fantasie t-shirt rondloopt (voor ons is het buiten en in de eetzaal altijd met uniformjasje aan). Met speciale toestemming van de commandant kreeg ik tot 1200 uur ontheffing, mits ik mij niet buiten het terras van ons 'chalet' begaf. De foto die onze oplettende persvoorlichtster in alle vroegte maakte werd meteen in de ochtendbriefing van de taskforce staf onder de titel 'Koninginnedag in Uruzgan' vertoond.

Was Koninginnedag dus een niet erg indrukwekkende gebeurtenis, zo anders was dat met de dodenherdenking op 4 mei 2000 uur plaatselijke tijd. Dan is het hier al geheel donker en onder het licht van de voor deze gelegenheid speciaal aangelegde schijnwerpers stond het hele aanwezige Nederlandse detachement aangetreden, strak in de houding de eregroet brengend terwijl de ongeveer 50 namen van tijdens vredesmissies sedert Libanon omgekomen Nederlandse militairen werden voorgelezen alvorens twee minuten stilte in acht werd genomen. De laatste twee namen van de lijst waren die van de recent omgekomen sergeant Donkers en korporaal Strik. Dan is het niet de voor de huidige jongere generaties enigszins abstracte herdenking als in Nederland, maar inderdaad wel heel erg concreet.

Bevrijdingsdag werd niet speciaal gevierd, maar wel was er door de Australiërs een popzangeres ingevlogen die de avond van 5 mei met veel lawaai band op een daarvoor aangelegd podium tot groot genoegen van het hele kamp optrad. Ook de rest van de dames entourage van de band viel bij de troepen in de smaak. Voor het eerst in deze drie maanden dat er enige vorm van entertainment voor de troepen was. Vanavond nog een keer, dus twee dagen feest.

Zo rustig als het verder op het kamp is, zo 'druk' is het daarbuiten, maar ik moet volstaan met maar naar de media te verwijzen. Ook journalisten stonden in de vuurlinie toen tijdens het vernietigen van de poppyvelden door de AEF (de Afghan Eradication Forces van het centrale gouvernement van Afghanistan) aan beide zijden raak geschoten werd. Overigens werd ik in Trouw van 2 mei uitvoerig geciteerd en al daarvoor al met een uitspraak in de editie van 23 april. Voor mij stond deze week in het teken van overdracht van mijn werkzaamheden aan mijn opvolger, althans dat was de bedoeling. Echter, waaraan iedereen hier gewend is, loopt alles anders dan gepland. Mijn opvolger werd hier op 2 mei verwacht, waarna ik op 7 mei richting Kabul en vervolgens 'adaptatie' op Kreta zou vertrekken. Met ingang van 1 mei is het aantal vliegbewegingen naar Tarin Kowt beperkt met als gevolg dat mijn opvolger hier pas in de middag van 5 mei arriveerde. Zonde van de tijd –en dat gold ook voor diverse 'werkbezoekers' uit Nederland- om dagen op vliegvelden in Kabul en Kandahar gestrand te zijn alvorens hier aan te komen. Anderhalve dag om in te werken, over te dragen en afscheid te nemen vond iedereen te kort, zodat ik nog wat langer mag en moet blijven (hetgeen ik overigens helemaal geen straf vind). Ook volgende week zondag mogen jullie dus, insh'allah, nog een bericht uit een nog steeds in vele opzichten warm Uruzgan, van mij verwachten.

Intussen hartelijke groet,
8<{))
Gijs

Het standaard waarschu-
wingsbord.

Koninginnedag
Foto: Mindef

Iedere dag verse groente en fruit in de
eetzaal.

Het zonnedoek is opera-tioneel.

Een kleine stofstorm

Amerikaanse Hummers

Afghaans bedden transport in het kamp.

Vertier voor de (Australische) troepen.

Bezoek uit Den Haag.

Theedrinken met OA (operational analyst) bij de tolken.

Een kudde schapen voor de poort.

De Chinook is nu ook operationeel.

Prikkeldraad voor de hoofdofficier van justitie.

Een Camelspider in het PRT-chalet.

Afscheidstoespraak van PRT3 13 mei 2007

' Overste, dames en heren, er is een tijd voor komen en gaan en mijn tijd om te gaan is nu gekomen. Maar niets is hier werkelijkheid. Zojuist hoorde ik dat ik niet naar Kreta mag (voor de hele week afgeblazen, waarschijnlijk omdat de hogere legerleiding vreesde, geheel ten onrechte, voor een nieuw exces bij mijn aanwezigheid daar). Dat is heel vervelend want ik had mij zo verheugd op een zeer noodzakelijk goed gesprek met een aardige psychologe. Zeer noodzakelijk want na precies 100 dagen uitzending verkeer ik in een diepe identiteitscrisis en dreig in Nederland in een diep zwart gat te vallen. Wie ben ik? Nil realis est, niets is wat het lijkt.

Mijn eerste schok bij aankomst in Afghanistan was niet dat men na een half uur na aankomst al een raket op mij afschoot in kabul, maar dat het vroor en er sneeuw lag, terwijl ik een paar dagen daarvoor met het oog op mijn uitzending een hittekeuring had moeten ondergaan.

Dan kom je hier aan in TK als FS legal en meteen wordt je FS badge afgerukt en vervangen door 11Tankbat, dus ik de eerste pantsergrenadier. Zo ook je naamlint verwijderd om anoniem te blijven terwijl ik mijn hele leven met open vizier heb gestreden. Vervolgens 41Pgen, dus de eerste pantsergeniegrenadier ter wereld en om mijn verwarring nog groter te maken tussendoor ook nog ingelijfd bij de Australiërs 1RTF want mijn werkplek die ik centimeter voor centimeter moest bevechten bevond zich eigenlijk op Australisch grondgebied.

Daar bleef het allemaal niet bij, want hoewel ik gewoon Majoor of nog beter gewoon gijs heet heeft men mij vele andere namen en predikaten toegekend. In de eerste weken Sil de strandjutter omdat ik mijn geheel lege werkplek moest inrichten en het kamp afschuimde voor plankjes, munitiekistjes, schroeven en spijkers en zelfs met twee kabelhaspels aan

271

kwam rollen. Aan het einde van PRT2 was ik blijkbaar in achting geste-
gen en werd voorzien van het predikaat the Godfather. Regelmatig werd
ik ook aangezien voor de dominee; de verkenners noemen mij blijkbaar
de malik en Dyncorp mr Blue, naar een figuur uit een film die ik niet gezien heb maar waarvan ik het ergste vrees. Tenslotte de hoogste eer, door
u mij toegekend als qasi Gijs Jan van de Scholtenzai. Zeer sophisticated
humor. Ik zag als eerste scholtenzai staan en dacht dat is grappig, totdat
ik de rest zag. 11tankbat had iets andere humor, ook leuk, in de vorm van
stenigen van de dixie bezoekers. Als je dat overkwam wist je dat je er echt
bijhoorde, maar qasi gijs jan zal mij meer blijven heugen.

Nil realis est, zo ook mijn missie: in kaart brengen van de werking van het
Afghaanse rechtssysteem en aanbevelingen doen tot ver betering. Iedereen die het horen of niet horen wilde heb ik gezegd: zonder rule of law
geen stability en security.

Maar daarnaast, bijdragend aan mijn identiteitscrisis, werd ik voor alle
mogelijke andere dingen ingezet. Getraind op de Kalashnikov en de
PKM, omdat ik geen Diemaco mocht vasthouden. Bijna was het gelukt
om een AK-47 te krijgen, maar dat serieuze verzoek werd per ongeluk
afgedaan als een 1-aprilgrap; diverse adviezen, die niets met mijn missie te maken hadden, in de Bushmaster bovenluiks het kamp rondracen
met munitiekisten, met een missieteaim op voet patrouille door TK in
het zweet mijns aanschijns en tenslotte als grijze baard quick in quick
out naar Chernartu alleen maar om, uit en met respect, enveloppen met
inhoud uit te reiken.

Kortom ik heb een geweldige tijd gehad.

Tenslotte de door velen gestelde vraag waarom iemand op een leeftijd
dat ieder weldenkend mens de krijgsmacht heeft verlaten zich, na een
aardige carriere als advocaat, geridderd door de koningin en schapen op
het droge, op 58-jarige leeftijd als grenadier der derde klasse op de KMA
de klimtoren in laat jagen en vervolgens twee jaar later af te reizen naar
het stof en de blubber van Afghanistan.

Avontuur, zoals de Amerikaan die een miljoen dollar betaalt om met een raket naar Mars afgeschoten te worden? Neen. Verveling achter de geraniums? Neen, ik moet nog 100.000 postzegels uitzoeken. Gewoon een beetje gek? Neen, of misschien toch een beetje?

Het is ook een omgekeerde wereld indien mijn dochter als Bosnie veteraan haar vader op latere leeftijd nog op Eindhoven voor zijn eerste uitzending staat uit te zwaaien.

Ik zal het nog een keer uitleggen. Er zijn tenminste twee overeenkomsten tussen militairen op uitzending en advocaten:

Er wordt hard gewerkt maar ook veel gelachen. Belangrijker is dat advocaten ook krijgers zijn, weliswaar niet met geweer en pistool, maar met de mond en de pen om de tegenstander op de knieen te dwingen.

Ik heb langdurige banden met de krijgsmacht sinds mijn studententijd en wat was nu mooier om die belangstelling te koppelen aan mijn 35-jarige expertise als advocaat? Bij mijn afscheid als advocaat heb ik dat tot uitdrukking gebracht door Sun Tzu's krijgskunst te vertalen, regel voor regel, voor advocaten. Als herinnering aan een oud-advocaat te velde bied ik een van de laatste exemplaren (de eerste twee drukken zijn inmiddels uitverkocht) aan onze commandant.

Het andere exemplaar zal ik overhandigen aan mijn baas, onze Polad, ook als dank voor de voortreffelijke samenwerking. Sun Tzu was zijn tijd ver vooruit, want in 2.11 propageert hij al, 500 v.chr., het PRT concept van het winnen van de hearts and minds.

Voordat ik het boek overhandig tenslotte nog een ander ding. Ik heb groot ontzag voor het werk dat jullie hier allemaal doen, onder moeilijke omstandigheden om een verwoest land weer op te bouwen. Dat verdient het grootste respect en het is mij een eer geweest om in jullie midden te mogen dienen. Ik zal jullie missen en wens jullie verder een goede uitzending en vooral een behouden thuiskomst!'

Tarin Kowt, zondag 13 mei 2007

Salaam aleikum, goedendag allen,

Ook de overdracht aan mijn opvolger liep geheel anders dan gebruikelijk, want na een paar dagen hier besloten wij reeds dat hij de kans moest grijpen om met een missieteam zes dagen het land in te gaan, zodat ik hem alweer op een dag om 0400 uur stond uit te zwaaien. Hij is pas terug als ik op het vliegtuig naar Kabul zit. Overdracht intussen met een sneltreinvaart geregeld, maar het gevolg is wel dat ik de laatste dagen in plaats van grotendeels in de zon te zitten al het werk moet blijven doen (overigens met veel plezier) en van alles notities moet maken zodat hij de aansluiting bij terugkomst niet mist.

Om een idee te geven hoe een normale dag voor mij hier verloopt, een chronologisch overzicht van afgelopen vrijdag als voorbeeld:

06.15 opstaan en vervolgens ontbijten (met havermout en een croissant) en, na een kopje thee op ons 'terras' dan om

07.30 de ochtendbriefing in onze briefingroom over de stand van zaken in het gebied, plaatsgevonden hebbende acties en verwachtingen voor de komende dagen.

08.00 achter het bureau een adviesje schrijven en om 08.30 'omhangen' (scherfvest etc) en met tolk wandelen naar de buitenpoort om Afghaanse gesprekspartner op te halen.

09.00 met de hoofdofficier van justitie, als gebruikelijk vergezeld van zijn zoontje, een gesprek in het PRT-huis, waarbij ik een mooi bewerkt theeglas krijg als afscheidscadeau ; de dag daarvoor had ik in mijn laatste vergadering van de 'justice sector' al afscheid genomen van de andere justitiele autoriteiten.

10.00 de bezoeker weer met tolk naar de buitenpoort begeleid en voor de laatste keer afscheid genomen. Wel vreemd, want ook al gingen alle gesprekken altijd met een tolk, toch was er een hechte band tussen 'collega's' ontstaan.

Terug op kantoor om 10.15 de 'keek op de week' voor de staf PRT, waarin alle geplande missies en operaties voor de komende week besproken worden (een agenda die overigens van dag tot dag moet worden aangepast wegens de gebruikelijke onverwachte ontwikkelingen).

11.45   weer achter mijn bureau door een paar ordners ploegen om iets op te zoeken.

12.15   lunchen met mijn twee collega functioneelspecialisten (gezondheidszorg en infrastructuur).

13.00   gespreksverslag van de bespreking van de ochtend maken.

14.00   de foto's van het afscheid van de juridische wereld laten afdrukken voor alle betrokkenen.

14.30   even in de zon zitten.

14.45   via de tolk een telefoongesprek met de President van de rechtbank

15.00   in de briefing room een korte presentatie over mijn activiteiten geven aan de ter voorbereiding op werkbezoek zijnde mensen van het toekomstige PRT.

15.15   buiten op het terras een uitvoerig gesprek met de operationeel analisten (die de effecten van al onze activiteiten meten).

17.15   dineren.

18.00   uitgeput van het diner uitbuiken op het terras.

18.30   avondbriefing voor de PRT-staf over gebeurtenissen van vandaag en activiteiten voor morgen.

19.00   een halfuurtje mijn logboek bijwerken.

19.30   vergadering met aantal betrokkenen over de aanpak van wekelijks overleg met Afghaanse counterparts op diverse terreinen.

21.45   het besprokene verwerken in mijn logboek ,en tussendoor buiten in het donker roken en thee drinken, en missieverslag voor mijn opvolger bijwerken.

22.45   nog even snel (maar snel gaat dat niet) emails lezen.

23.15   naar 'huis' en

23.30   het moede hoofd te ruste gelegd.

Kortom het lijkt wel op een dag als vroeger op kantoor, maar dan in een iets andere omgeving.

Bij het 'reisbureau' hing een mededeling dat er geen adaptatieprogramma in Kreta is de komende weken (misschien vreesde men, geheel ten onrechte, wangedrag van mijn zijde), zodat ik, insh'allah (want niets is zeker) ergens volgende week vanuit Kabul naar Nederland vlieg.

Vandaag hier afscheid genomen van 'mijn' PRT3 en aan de commandant ongeveer het laatste exemplaar van mijn Sun Tzu's krijgskunst aangeboden. In paragraaf 2.11 was Sun Tzu in 500 v.Chr zijn tijd al ver vooruit met het reeds toen propageren van het PRT-concept van hearts and minds.

Ik zal het hier wel missen en hoop toch nog een keer de gelegenheid te hebben om, onder welke vlag dan ook (misschien over een paar jaar gewoon een vakantiereis?) hier nog eens terug te komen. Vanavond ga ik pakken en ik meld mij wel met een afsluitende email volgende zondag, aannemende dat ik dan echt weer thuis ben.

Intussen, godei paman, tot ziens
8‹{))
Gijs

Colonne voor meerdaagse missie staat gereed

Mijn opvolger gaat op meerdaagse missie

Eieren mee (worden overgeladen in pantservoertuig)

vergadering PDC (provincial development committee) justitie sector

Afscheid van de justitiële sector voor het PRT-huis

Jingle-trucks in quarantaine

De hoofdofficier van justitie vertrekt per auto

Dagelijkse briefing PRT3 in briefingroom

Autoriteiten die niet gefouilleerd behoeven te worden

Bezoek van VN-afgezant

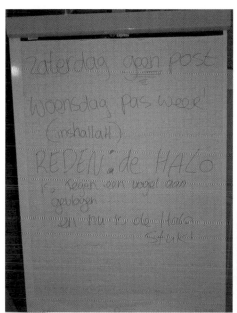

*Geen post deze keer; de vrachtheli-
copter is stuk*

*Ook voor mij een letter of
recommendation*

*Als dank mijn Sun Tzu boek voor de
Cdt PRT Lkol van der Voet*

Letter of Recommendation

for:

Maj Mr C.G. Scholtens

Van 6 februari tot 14 mei 2007 was je de 'Functional Specialist Juridicial' voor het Provinciaal Reconstructieteam van de NLD/AUS Task Force in Uruzgan.

You joined the Army in 2005 en je hebt op listige wijze een goede positie bereikt binnen het PRT door overal vrienden te maken, Nederlandse, Afghaanse en - ook niet onbelangrijk - een Canadese. Inmiddels heeft het PRT je beter leren kennen als QASI GIJS JAN, VIP of the Day op 21 APR 2007. Sie S2 heeft ontdekt dat je van de SCHOLTENZAI bent, vrij zeldzaam in deze streek, met als residence 'Wherever he feels at home'. Door je toegankelijkheid, interesse in de Afghaanse cultuur en de wijsdom die je uitstraalt, ben je uitstekend geschikt als Mediator bij een Shura of een bezoek aan CHENARTU. Waar het daarnaast natuurlijk om gaat is je opdracht. Die heb je met succes volbracht. Want je hebt heel duidelijk gemaakt wat er op het juridische vlak moet gebeuren. Gijs, bedankt. We zullen je missen.

PRT 3

Tarin Kowt, Uruzgan

April 17, 2007

Lt Col Van der Voet G.S.

Commander PRT3

De letter of recommendation

Rotterdam, zondag 20 mei 2007

Goedenmorgen allen,

Afscheid nemen van de missie in Afghanistan en terug naar huis in Nederland gaan leverde een dubbel gevoel op. Enerzijds verdrietig om alles en iedereen van het intense bestaan in Uruzgan achter me te moeten laten, maar anderzijds blij om weer gewoon en veilig thuis te kunnen zijn. Nog een laatste foto van Kamp Holland gaat hierbij.

Voor degenen die vertrokken, een paar uitroteerders zoals ik, een grote groep verlofgangers en een grote groep werkbezoekers (totaal ongeveer 70 mensen) waren twee vluchten vanuit Tarin Kowt naar Kabul gepland. Eerst op maandag en vervolgens verschoven naar dinsdag. Ik stond geboekt voor de ochtendvlucht en wilde die eigenlijk omruilen voor de middagvlucht om van iedereen uitvoerig afscheid te kunnen nemen, maar gelukkig dat ik dat maar niet gedaan heb. De middagvlucht ging eerst weer helemaal niet door, later toch wel, maar dat vliegtuig kwam niet verder dan Kandahar wegens technische mankementen. Die ploeg had dus de pech misschien een week vertraging op te lopen omdat er maar een keer per week een vlucht van Kabul naar Nederland gaat. Gevolg was dat wij maar met een halve groep (met een gecharterd Turks burgervliegtuig) volgens planning naar Eindhoven vlogen. Maybe Airlines deed haar naam dus weer eer aan (zie de foto van het 'reisbureau' op Kabul Airport). Een laatste blik vanuit de lucht op Kabul en aan precies 100 dagen uitzending kwam een einde.

Voldoende tijd om in het vliegtuig de balans van die 100 dagen missie op te maken. Het eerste deel van mijn opdracht om in kaart te brengen hoe het Afghaanse recht(spraak)systeem in Uruzgan functioneert heb ik voor wat betreft de overheidsrechtspraak kunnen uitvoeren. De drie peilers van de rechtstaat, mensen, infrastructuur en rechtsbewustzijn, met voor ieder een stuk of zes essentiele onderdelen heb ik geinventariseerd.

Aan alles was tekort: te weinig politie, rechters. officieren van justitie, ondeugdelijke gebouwen en een maatschappij, waarin -ook naar Afghaanse normen anno 1386 (=2007)- door corruptie, papaverindustrie en andere machtsverhoudingen 'the rule of law' grotendeels afwezig is.

Een regelmatig gehoorde uitspraak was dat onder het Taliban regime het allemaal zeer streng was, maar iedereen wist waar hij aan toe was, terwijl er nu democratie en rechteloosheid is.

Het in kaart brengen van de informele rechtspraak (Sharia en Pashtunwali) in de dorpen door de mullah's en maliks moet nog gebeuren, voorzover mogelijk, want mede door de veiligheidssituatie en de daardoor beperkte bewegingsvrijheid is een groot gedeelte van de provincie voor ons niet toegankelijk. Mijn opvolger(s) hebben daar een mooie taak aan.

Het vervolgens doen van aanbevelingen tot verbetering - het tweede deel van mijn opdracht- kon op sommige punten concreet worden ingevuld en op vele andere punten slechts beperkt worden aangestipt; in totaal ongeveer 250 te ondernemen (d.w.z daaruit een keuze te maken voor wat betreft beschikbare middelen en tijd) acties. Sommige zijn eenvoudig, zoals het bouwen van een muur rond de rechtbank, het bouwen van een nieuwe gevangenis etc. Ook hele kleine dingen, zoals het regelen van een paar rollen prikkeldraad voor een officier van justitie om zijn kantoor veiliger te maken.

Moeilijker is het zorgen voor voldoende gekwalificeerde politiemensen, officieren van justitie en rechters, waarbij ik stuitte op de grote bottleneck van de salariering. Zolang er sprake is van ernstige onderbetaling is het onmogelijk om voldoende goede mensen naar Uruzgan te krijgen en het zal grote politieke en diplomatieke creativiteit vergen om dit probleem op te lossen. Ook hier geldt de bij herhaling gehoorde uitspraak: 'Urzugan is ver van Kabul'. Bij iedereen die het wilde (en niet wilde) horen in Uruzgan, Kabul en in/uit den Haag, heb ik er op gehamerd dat, wil het mogelijk zijn de rule of law te herstellen in Uruzgan, dit probleem als eerste moet worden opgelost. Anders hebben we straks mooie nieuwe politiebureaus, een gevangenis etc. gebouwd, maar staan die grotendeels leeg. Bovendien zonder herstel van de rule of law is veiligheid en stabiliteit (waaronder essentieel het herstellen van vertrouwen in de eigen overheid) onbereikbaar, terwijl dat nu juist onze missie in Uruzgan is, waarvoor, los van alle grote financiele inspanningen, dagelijks de levens van onze militairen op het spel worden gezet.

Tenslotte, als derde peiler, het rechtsbewustzijn, het onderscheid tussen goed en kwaad, due process, gelijke behandeling van mannen en vrouwen etc. -alles wederom naar de Afghaanse normen- is niet iets wat in een paar jaar op niveau zal zijn. Dat kost een of twee generaties, te beginnen met het er voor zorgen dat de kinderen naar school gaan, leren lezen en schrijven en de Koran op juiste wijze interpreteren.

Ook in de internationale pers kon ik mijn verhaal kwijt, zoals in het stuk van Ulrich Ladurner in die Zeit van 16 mei j.l:

'Man muss ein hoffnungsloser Idealist sein, um Uruzgan verändern zu wollen, und gleichzeitig ein zäher Pragmatiker. Vielleicht sind Niederländer besonders geeignet für diese Aufgabe. Gijs Scholtens jedenfalls, einer der Männer, der diese Tugenden vereint. Der Anwalt hat jahrzehntelang in einer der größten Kanzleien Hollands gearbeitet und meldete sich nach seiner Pensionierung mit 58 Jahren zur Armee, die ihn aufnahm und bald in die Gluthitze Uruzgans schickte, wo er nun seelenruhig seine filterlosen Zigaretten raucht und über die Reform der hiesigen Justiz spricht. Scholtens hat schnell gelernt, dass man zwar in großen Zusammenhängen denken kann, es aber vor allem um die scheinbar kleinen Dinge geht. »Wann immer es eine winzige Chance gibt, etwas zu tun, müssen wir sie ergreifen.« Da war zum Beispiel Mohammed Jan, oberster Richter von Tarin Kowt, der sich in seinem Büro bedroht fühlte. Darum baute man eine Mauer um das Gericht, und Scholtens besorgte dem Richter Stacheldraht, damit er seiner Arbeit entspannter nachgehen konnte. Ein anderes Mal geht es um die Löhne, die viel zu niedrig sind, es geht um Polizeikräfte, die nicht richtig ausgebildet werden. Es geht darum, wie man einen Mörder aus einem abgelegenen Tal zum nächsten Gericht bringen kann, ohne dass er auf dem Weg den Rächern seines Opfers in die Hände gerät. Und es geht auch um die rund 30 Gefangenen im Gefängnis von Tarin Kowt, die dazu verdammt sind, hinter einer hohen Lehmmauer in stickigen Zellen dahinzuvegetieren. Sie behaupten, ohne Urteil eingesperrt zu sein, manche schon seit fünf Jahren. Richter Mohammed Jan antwortet auf Anfrage knapp: »Die lügen alle!«, legt aber keinerlei entsprechenden Dokumente vor. 29 Menschen, das ist scheinbar nichts Aufregendes in einem Land, in dem immer wieder Dutzende Zivilisten bei Bombenangriffen sterben und Geiseln brutal enthauptet werden. Und doch, wer für klare, verbindliche Regeln eintritt, muss sich auch um diese Vergessenen kümmern, wenn er glaubwürdig sein will.Das sagt jedenfalls Gijs Scholtens. Und deshalb versucht er

mit Richter Mohammed Jan die Gefangenenfrage zu lösen. »Die Menschen sollten begreifen, was falsch und was richtig ist«, sagt Scholtens. So spricht der Idealist, der Praktiker achtet darauf, was funktioniert ☐ und gibt sich damit fürs Erste zufrieden. '

Moeten wij dus na augustus 2008 blijven in Uruzgan? Willen wij echt iets doen om Afghanistan weder op te bouwen, dan kan het antwoord alleen volmondig ja zijn. Even komen kijken en dan weer weggaan zet geen zoden aan de dijk en is een verspilling van de gingantische investering die wij in geld en mensen daar hebben gedaan. In de twee jaar die wij er dan hebben gezeten kun je niet meer doen dan een beginnetje maken en om daadwerkelijk iets te bereiken heb je een paar jaar meer nodig. Helemaal onzinnig zou zijn om dit af te breken en een nieuw avontuur ergens anders in de wereld te beginnen. Je kunt immers beter een ding (proberen) goed (te) doen, dan twee dingen half.

De meeste militairen tellen, hoe professioneel en gemotiveerd zij ook zijn, bij hun uitzending de dagen af tot hun terugkeer. Voor mij was dat niet het geval en integendeel als ik de kans zou krijgen nog een keer terug te gaan en, voor kortere of langere tijd, de rule of law missie in Uruzgan voort te zetten, dan doe ik dat meteen. (mijn baard blijft er dus voorlopig aan). Ik heb -hoe gek dat ook moge klinken- in alle opzichten een geweldige tijd gehad, die ik niet had willen missen, zowel qua werk als qua alle mensen (zowel onze mensen als de Afghanen) die ik heb leren kennen, waarmee ik mij verbonden voel.

In de afgelopen drie maanden heb ik vele namen en titels gekregen, die ik alle koester. Naast 'majoor' of gewoon 'Gijs' beginnend met 'Sil de Standjutter' om mijn 'kantoor' met plankjes en munitiekistjes op te bouwen. Na anderhalve maand kreeg ik gelukkig een beker met het opschrift 'the Godfather'. Verschillende keren werd ik voor dominee aangezien en een enkele keer voor de psycholoog. De Amerikanen van Dyncorp noemden mij 'Mr Blue' (uit de film 'the old school' , die ik niet gezien heb maar vrees het ergste), de verkenners gaven mij de titel van 'de Malik' (de dorpsoudste) en het hoogtepunt was 'Qasi Gijs Jan' van de stam de 'Scholtenzai' met getruckte foto met tulband.

Zie ik dan gisteren het televisie journaal met als opening het item over de ontsnapte Gorilla uit diergaarde Blijdorp en pas als derde of vierde item de dood van drie Duitse ISAF militairen, dan moet ik weer wennen aan de Nederlandse werkelijkheid. De overgang destijds van hier naar

Afghanisten, met een maand voorbereiding en er naar toe werken, was kleiner dan de overgang ineens van met helm, scherfvest en gewapend in het stof in Afghanistan naar hier weer als burger gewoon over straat lopen met alleen het verkeer als bedreiging.

Dit was mijn laatste email van mijn onvergetelijke 100 dagen missie Afghanistan. In de komende weken verheug ik me er op jullie allemaal wel weer te zien, te spreken of te mailen en vanaf nu gebruik ik mijn gmail adres niet meer, maar is als vanouds mijn emailadres gijs.scholtens@planet.nl.

Toch ben ik dus blij weer veilig en heelhuids thuis te zijn en mij weer te kunnen storten op mijn postzegels, tinnen soldaatjes en al die andere leuke dingen die het leven als pensionado biedt (en mijn ton post wegwerken)! Dat neemt echter niet weg dat ik, waar ik kan, ook in het informele circuit, mij voor de wederopbouw van Afghanistan op het gebied van de rule of law zal blijven beijveren.

hartelijke groet
8<{))
Gijs

Mijn galgenmaal

Een laatste blik vanaf de bui-tenring op Kamp Holland

Afscheid van de Polad

*Een laatste blik van-
uit de vrachtwa-
gen op weg naar het
vliegveld*

Raketresten op KAIA

*Een stofstorm steekt
op*

Nu is er nog iets te zien

En nu niet meer

De stofstorm trekt over

Maybe Airlines, reisbureau op KAIA

De helicopter van president Karzaï

President Karzai gaat ook op reis

Het uitzwaaien van de vertrekkers op KAIA

Vertrekkers keren huiswaarts

De wachtenden doden de tijd met steentjes werpen

Kabul from the air

Ergens onderweg

Tussenlanding in Trabzon (Turkije)

295

Veilig weer terug in Nederland

Veteranendag; de herinneringsmedaille voor vredesoperaties
Foto: W. den Dunnen

Chronologie CIMIC en uitzending

	december 2003	sollicitatie CIMIC
	april 2004	dienstkeuring etc.
	april 2005	aanstelling grenadier derde klasse
	mei 2005	CIMIC officiersopleiding KMA, Breda
	mei 2005	bevordering majoor der grenadiers
	mei 2006	'groene dagen', Nieuw Milligen
	september 2006	functioneel specialisten opleiding CIMIC, Budel
woensdag	15 november 2006	beschikbaarstelling voor juridische missie Uruzgan
maandag	4 december 2006	geplaatst op shortlist voor juridische missie Uruzgan
dinsdag	2 januari 2007	08.15 uur telefonische melding uitzending 6 februari
	8-16 januari 2007	Missie gerichte opleiding (MGO), Amersfoort
woensdag	17 januari 2007	briefing door Ministeries van Defensie en Buitenlandse Zaken
dinsdag	23 januari 2007	formele uitzendopdracht periode 3 maanden
dinsdag	30 januari 2007	overleg met Legal Team Uruzgan (opvolgers), Boxtel
dinsdag	6 februari 2007	vertrek Eindhoven
woensdag	7 februari 2007	aankomst Kabul, inkwartiering in ISAF HQ
	7-8 febuari 2007	besprekingen in Kabul
vrijdag	9 februari 2007	per Hercules naar KAF (Kandahar Airfield)
zaterdag	10 februari 2007	per helicopter (Cougar) naar Kamp Holland, Tarin Kowt
zaterdag	10 februari 2007	aankomst Kamp Holland, opname in PRT 2, 11Tkbat
dinsdag	13 februari 2007	overleg met Chief Prosecutori, PRT-huis
donderdag	15 februari 2007	overleg Chief Justice, PRT-huis

woensdag	21 februari 2007	bezoek Tarin Kowt, rechtbank, ANP HQ, gevange- nis
donderdag	22 februari 2007	vergadering PDC sub unit security, PRT-huis
donderdag	1 maart 2007	met Dyncorp naar Tarin Kowt, bezoek gevangenis en former AHP HQ
zaterdag	3 maart 2007	quiz-avond PRT2
maandag	5 maart 2007	per helicopter (Cougar) naar Deh Rawod
	5-7 maart 2007	besprekingen in Kamp Deh Rawod
woensdag	7 maart 2007	per helicopter (Cougar) terug naar Kamp Holland
donderdag	8 maart 2007	vergadering PDC sub unit security, governor's com- pound T.K.
vrijdag	9 maart 2007	overleg met Chief Prosecutor, PRT-huis
zaterdag	10 maart 2007	overleg met dir. Hadj en Religion, PRT-huis
zondag	11 maart 2007	kerkdienst met dir. Hadj en Religion, Kamp Hol- land
woensdag	14 maart 2007	overleg met Chief Prosecutor, PRT-huis
woensdag	14 maart 2007	NATO medaille-uitreiking; spreek het geheel toe
donderdag	15 maart 2007	Mullah shura in Tarin Kowt
vrijdag	16 maart 2007	overleg met military prosecutor, PRT-huis
zondag	18 maart 2007	Afghaans nieuwjaarsfeest, PRT-huis
zondag	18 maart 2007	schiet-instructie Dyncorp AK-47 en PKM
donderdag	22 maart 2007	opgenomen in PRT3 41Pgenbat
vrijdag	23 maart 2007	schiet-instructie Dyncorp AK-47 en PKM
zondag	25 maart 2007	voetpatrouille in Tarin Kowt en omgeving, bezoek rechtbank en kantoor Chief Prosecutor
maandag	26 maart 2007	Ministers meeting, governor's compound T.K.
woensdag	28 maart 2007	graduation ceremonie ANAP
donderdag	29 maart 2007	overleg met Chief Justice, PRT-huis
donderdag	29 maart 2007	overleg met Chief Prosecutor, PRT-huis
dinsdag	3 april 2007	met PRT-Air naar Kabul
woensdag	4 april 2007	vergadering ANDS rule of law, Kabul
donderdag	5 april 2007	ISAF Legal Conference, ISAF HQ, Kabul
dinsdag	10 april 2007	met PRT-Air naar Kamp Holland
zondag	15 april 2007	per Hercules naar KAF (Kandahar Airfield)
maandag	16 april 2007	naar (Can) PRT Kandahar
maandag	16 april 2007	overleg met dir. Huquq, PRT Kandahar

dinsdag	17 april 2007	bezoek aan gevangenis Kandahar
woensdag	18 april 2007	van Kandahar naar Kaf
donderdag	19 april 2007	per Hercules, via Kabul, naar Kamp Holland
maandag	23 april 2007	graduation ceremonie ANAP
woensdag	25 april 2007	overleg met Chief Prosecutor, PRT-huis
vrijdag	27 april 2007	missie Chenartu
maandag	30 april 2007	Koninginnedag
donderdag	3 mei 2007	vergadering PDC sub unit justice, PRT-huis
vrijdag	4 mei 2007	dodenherdenking
zaterdag	5 mei 2007	aankomst opvolger Maj Albert Schoneveld
maandag	7 mei 2007	overleg met Chief Prosecutor, PRT-huis
dinsdag	8 mei 2007	hand-over/take-over ('HOTO') met Albert Schoneveld
woensdag	9 mei 2007	overleg met Chief Justice, PRT-huis
donderdag	10 mei 2007	vergadering PDC sub unit justice, PRT-huis
vrijdag	11 mei 2007	overleg met Chief Prosecutor, PRT-huis
zondag	13 mei 2007	ontvangst letter of recommendation
dinsdag	15 mei 2007	per Hercules naar KAIA (Kabul Military Airfield)
woensdag	16 mei 2007	terug naar Eindhoven
vrijdag	25 mei 2007	intrede 1 Cimicbat, Soesterberg
woensdag	30 mei 2007	debriefing Ministerie van Buitenlandse Zaken
zondag	24 juni 2007	briefing CIMIC-opleiding en opvolgers in Ruckphen
vrijdag	29 juni 2007	medaille-uitreiking met PRT2 op Veteranendag, Den Haag
woensdag	4 juli 2007	overdracht bestanden aan NIMH, den Haag
donderdag	12 juli 2007	debriefing Ministerie van Defensie
donderdag	12 juli 2007	ceremonie uitzendvaan PRT2, 11 Tkbat, Oirschot
vrijdag	5 oktober 2007	medaille-uitreiking met TFU-staf
	november 2007	bevordering luitenant-kolonel
vrijdag	16 november 2007	vervolg missie Uruzgan

Bibliografie

(overgenomen uit Militair-Historische Leeswijzer Afghanistan van het Nederlands Instituut voor Militaire Historie)

Algemeen:
- Willem Vogelsang, 'Afghanistan. Een geschiedenis', Amsterdam/ Leuven 2002, ISBN 90-5460-073-X
- Martin Ewans, 'Afghanistan. A short history of its people and politics', New York 2002, ISBN 0-06-050508-7
- Chris Johnson en Jolyon Leslie, 'Afghanistan: the mirage of peace', London 2004, ISBN 1-84277-377-1
- Martin McCauley, 'Afghanistan and Central Asia: a modern history', London 2002, ISBN 0-582-50614-X
- Amalendu Misra, 'Afghanistan. The labyrinth of violence', Cambridge 2004, ISBN 0-7456-3115-0
- Ahmed Rashid, 'Taliban. Militant islam, oil and fundamentalism in Central Asia', New Haven/London 2001, ISBN 0-300-08902-3 (Nederlandse vertaling 'Taliban', Amsterdam/Antwerpen 2001, ISBN 90-450-0453-4)
- Peter Marsden, 'The Taliban. War and religion in Afghanistan', London 2002, ISBN 1-84277-167-1
- John D. Montgomery en E. Rondinelli, eds. 'Beyond reconstruction in Afghanistan: lessons from development experience', New York/ Basingstoke 2004, ISBN 1-4039-6511-0
- Riswan Hussain, 'Pakistan and the emergence of Islamic militancy in Afghanistan', Alsershot 2005, ISBN 0-7546-4434-0

Militaire geschiedenis:
- Stephen Tanner, 'Afghanistan: a military history from Alexander the Great to the fall of the Taliban', Cambridge 2002, ISBN 0-306-81164-2

- T.A. Heathcote, 'The Afghan wars 1839-1919', Staplehurst 2003, ISBN 1-86227-200-X
- Lester W. Grau en Michael A. Gress, eds., 'The Soviet-Afghan war: how a superpower fought and lost', Lawrence 2002, ISBN 0-700601186-X
- Lester W. Grau, ed., 'The bear that went over the mountain. Sovjet combat tactics in Afghanistan', London/Portland 1998, ISBN 0-7146-4413-7
- Ali Ahmad Jalali en Lester W. Grau, 'Afghan guerilla warfare. In the words of the Mujahideen', St. Paul 2001, ISBN 0-7603-1322-9
- Mohammed Yousaf en Mark Adkin, 'Afghanistan-The bear trap. The defeat of a superpower', Barnsley 1992 editie 2001, ISBN 0-85052-860-7
- George Crile, 'Charlie Wilson's war. The extraordinary story of howthe wildest man in Congress and a rogue CIA agent changed the history of our times', New York 2003, ISBN 0-8021-4124-2 (Nederlandse vertaling Utrecht 2004, ISBN 90-229-8842-2)

Counter-insurgency
- Anthony James Joes, 'Resisting rebellion. The history and politics of counterinsurgency', Lexington 2004, ISBN 0-8131-2339-9
- Leroy Thompson, 'The counter-insurgency manual. Tactics of the anti-guerrilla professionals', London 2002, ISBN 1-86367-502-4
- Bard E. O'Neill, 'From revolution to apocalypse. Insurgency and terrorism', Washington DC 1990 editie 2005, ISBN 1-57488-172-8
- H. John Poole, 'Tactics of the crescent monn. Militant muslim combat methods', Emerald Isle 2004, ISBN 0-9638695-7-4
- James S. Corum and Wray R. Johnson, 'Airpower in small wars. Fighting insurgents and terrorists', Lawrence 2003, ISBN 0-7006-1240-8

Militaire operaties na '9/11'
- Norman Friedman, 'Terrorism, Afghanistan, and America's new way of war', Annapolis 2003, ISBN 1-59114-290-3
- Gary C. Schroen, 'First In. An insider's account of how the CIA spearheaded the war on terror in Afghanistan', New York 2005, ISBN 0-89141-872-5

- Gary Berntsen en Ralph Pezzullo, 'Jawbreaker: the attack on Bin Laden and Al-Qaeda. A personal account by the CIA's key field commander', New York 2005, ISBN 0-30723-740-0 (Nederlandse vertaling Amsterdam 2006. ISBN 90-245-5577-9)
- Sean M. Maloney, 'Enduring the Freedom: a rogue historian in Afghanistan', Dulles 2005, ISBN 1-57488-953-2
- Robin Moore, 'The hunt for Bin Laden. Task Force Dagger. On the ground with the Special Forces in Afghanistan', New York 2003, ISBN 0-375-50861-9
- --, 'Hunting Al Qaeda. A take-no-prisoners account of terror, adventure and disillusionment', St Paul, 2005, ISBN 13 978-0-7603-2252-X
- Mark Nicol, 'Ultimate risk. SAS contact Al Qaeda', London 2003, ISBN 0-330-41315-5
- Michael Hirsh, 'None braver: US Air Force pararescuemen in the war on terrorism', New York 2003, ISBN 0-451-21295-9
- Stephen Biddle, 'Afghanistan and the future of warfare. Implications for army and defense policy', Honolulu 2002, ISBN 1-4102-1811-2
- Anthony H. Cordesman, ' The lessons of Afghanistan: war fighting, intelligence and force transformation', Washington DV 2002, ISBN 0-89206-417-X
- Benjamin S. Lambeth, 'Air power against terror. America's conduct of Operation Enduring Freedom', Santa Monica 2005, ISBN 0-8330-3724-2
- Philip Smucker, 'Al Qaeda's great escape. The military and the media on terror's trail', Washington 2004, ISBN 1-57488-628-2

Persoonlijke impressies
- Artyom Borovnik, 'The hidden war. A Russian journalist's account of the Soviet war in Afghanistan, New York 1990, ISBN 0-8021-3775-X
- Robert D. Kaplan, 'Soldiers of God. With Islamic warriors in Afghanistan and Pakistan', New York 1990 editie 2001, I|SBN 1-4000-3025-0
- Asne Seierstad, 'De boekhandelaar van Kaboel: een familie in Afghanistan', 2002 editie Breda 2006, ISBN 0-445-0324-3

- Gary Berntsen

- Christina Kamb, 'The sewing circles of Herat: a personal voyage through Afghanistan', New York 2002, ISBN 0-06-050526-5
- Khaled Hosseini, 'The kite runner', Londen 2003, ISBN 1-573222453 (Nederlandse vertaling 'De vliegeraar van Kabul', Amsterdam 2003, ISBN 90-234-1194-3)
- Khaled Hosseini, 'A thousand Splendid Suns', New York 2007 (Nederlandse vertaling 'Duizend schitterende zonnen, Amsterdam 2007, ISBN 978-90-234-2606-6)

Over de auteur

Mr C.G. (Gijs) Scholtens (1946) werkte 35 jaar als advocaat bij Nau-taDutilh in Rotterdam. Na zijn pensionering stelde hij zich, na een korte opleiding op de KMA, als reserve-officier beschikbaar voor CIMIC (civil military cooperation) missies. In het kader daarvan werd hij als functioneel specialist juridische zaken van februari tot medio mei 2007 uitgezonden naar Uruzgan om in het Provinciaal Reconstructie Team van Taskforce Uruzgan een bijdrage te leveren aan het herstel van het Afghaanse rechtssysteem. Verder vervult hij diverse bestuursfuncties op militair-historisch terrrein, zoals voorzitter van de Stichting Vrienden van het Legermuseum in Delft en bestuurslid van het OorlogsVerzets-Museum in Rotterdam. Naast veel (arbeidsrechtelijke) vakliteratuur publiceerde hij 'Sun Tzu's krijgskunst voor advocaten' dat in het najaar van 2007 zijn derde druk beleefet. Bij zijn afscheid uit de advocatuur werd hij benoemd tot ridder in de Orde van Oranje Nassau. Gijs Scholtens is een verwoed verzamelaar van postzegels en tinnen soldaatjes. 'Uitzendingen' zijn in zijn gezin geen onbekend verschijnsel: zijn dochter ging hem voor op uitzending met SFOR6 naar Bosnië en zijn zoon werkte gedurende een aantal maanden in een vluchtelingenkamp van de Verenigde Naties in Kenya.

In november 2007 is hij wederom, inmiddels bevorderd tot luitenant-kolonel, uitgezonden naar Uruzgan om het werk op het gebied van de rule of law voort te zetten.